LE CERCLE

Livre deux

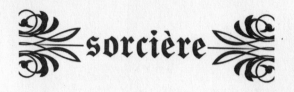 sorcière

LE LIVRE DES OMBRES

Cate Tiernan

Traduit de l'anglais par
Lyse Deschamps

jeunesse

Éditeur : François Doucet
Traduction : Lyse Deschamps
Révision linguistique : Caroline Bourgault-Côté
Correction d'épreuves : Nancy Coulombe, Marie-Yann Trahan
Montage de la couverture : Tho Quan
Photo de la couverture : © istockphoto
Mise en pages : Sébastien Michaud
ISBN Papier 978-2-89667-493-0
ISBN Numérique 978-2-89683-034-3
Première impression : 2010
Dépôt légal : 2010
Bibliothèque et Archives nationales du Québec
Bibliothèque Nationale du Canada

Éditions AdA Inc.
1385, boul. Lionel-Boulet
Varennes, Québec, Canada, J3X 1P7
Téléphone : 450-929-0296
Télécopieur : 450-929-0220
www.ada-inc.com
info@ada-inc.com

Diffusion
Canada :   Éditions AdA Inc.
France :   D.G. Diffusion
                Z.I. des Bogues
                31750 Escalquens — France
                Téléphone : 05.61.00.09.99
Suisse :   Transat — 23.42.77.40
Belgique :   D.G. Diffusion — 05.61.00.09.99

Imprimé au Canada

Participation de la SODEC. SODEC
Nous reconnaissons l'aide financière du gouvernement du Canada par l'entremise du Programme d'aide au
développement de l'industrie de l'édition (PADIÉ) pour nos activités d'édition.
Gouvernement du Québec — Programme de crédit d'impôt pour l'édition de livres — Gestion SODEC.

À N. et P., qui ont su mettre
de la magie dans ma vie

Prologue

Je dansais dans l'atmosphère, entourée
de milliers d'étoiles, et je voyais virevolter
des particules d'énergie semblables à de
microscopiques comètes. L'Univers entier
était à ma portée. D'un seul coup d'œil, la
moindre particule, le moindre sourire, le
plus petit moucheron et chaque grain de
sable, tout cela m'était révélé dans son
infinie beauté.

Chaque fois que je reprenais mon
souffle, j'inspirais l'essence même de la vie,
et lorsque j'expirais, une lumière blanche
émanait de ma bouche. C'était beau, plus
que beau, mais je ne trouvais pas les mots
pour l'exprimer. Je comprenais tout : ma
place dans l'Univers, le chemin que je
devais suivre.

Puis j'ai souri, j'ai cligné des yeux et j'ai
expiré une autre fois. J'étais debout dans
un cimetière obscur, en compagnie de neuf

de mes camarades de classe, et des larmes coulaient le long de mes joues.

— Est-ce que ça va ? a demandé Robbie, soudain inquiet de me voir ainsi.

Au début, je n'entendais qu'un drôle de charabia, puis j'ai compris ce qu'il venait de dire, et j'ai fait signe que oui.

— C'était tellement beau, ai-je dit, d'une voix atone.

Cette vision m'avait épuisée. J'ai tendu la main pour toucher la joue de Robbie, et mon doigt y a laissé une marque chaude et rosée. Il s'est frotté la joue, l'air bouleversé.

Les vases remplis de fleurs étaient sur l'autel, et je m'en suis approchée, hypnotisée par leur beauté et par l'extrême tristesse de leur mort. Lorsque j'ai touché un bouton, il s'est ouvert sous mes doigts, s'épanouissant dans la mort comme il n'avait pu le faire durant sa vie. J'ai entendu Raven haleter et j'ai compris que Bree, Beth et Matt s'éloignaient de moi, à ce moment-là.

Puis Cal est arrivé à mes côtés.

— Ne touche plus à rien, a-t-il dit calmement, sans cesser de sourire. Allonge-toi
et reviens parmi nous.

Il m'a guidée vers un endroit du cercle
où j'ai pu m'allonger sur le dos. Je sentais la
terre battre dans tout mon être, libérant
l'énergie accumulée et m'aidant à me sentir
plus… normale. Mes perceptions se sont
recentrées, je distinguais clairement notre
cercle, les chandelles, les étoiles, les fruits
qui étaient redevenus de simples fruits, et
non plus des gouttes d'énergie pure.

— Qu'est-ce qui m'arrive ? ai-je soufflé.

Cal s'est assis en tailleur derrière moi, a
posé ma tête sur ses genoux et s'est mis à
me caresser les cheveux. Robbie s'est age-
nouillé à côté de lui. Ethan, Beth et Sharon
s'étaient rapprochés et me regardaient par-
dessus son épaule, comme on regarde un
tableau dans un musée. Craintive, Jenna
tenait Matt par la taille. Raven et Bree se
tenaient plus loin ; Bree, les yeux écarquillés, avait l'air grave.

— Tu as fait de la magye, a dit Cal en
fixant sur moi ses yeux dorés. Tu es une
sorcière de sang.

Lentement, j'ai ouvert les yeux; son beau visage me cachait la lune. Tout en plongeant son regard dans le mien, ses lèvres ont touché les miennes, et j'ai compris qu'il me donnait un baiser. Mes bras me semblaient lourds lorsque j'ai voulu me pendre à son cou pour lui rendre son baiser. Nous nous sommes enlacés et, partout autour de nous, la magye crépitait.

En ce moment de pure félicité, je ne me demandais pas ce que le fait d'être une sorcière de sang pouvait signifier pour moi ou ma famille. Je ne me demandais même pas ce que pouvait signifier pour Bree ou Raven, que Cal et moi soyons unis par la magye. C'était ma première leçon de sorcellerie, et je l'avais apprise à la dure : voir les choses dans leur ensemble et ne pas se laisser aveugler par une petite partie d'un grand tout.

1

Après Samhain

Je confie ce livre à mon incandescente Bradhadair, ma fée du feu, pour son quatorzième anniversaire. Bienvenue dans le cercle Belwicket.

Avec tout mon amour.

Mathair.

Ce livre est privé. N'y touchez pas.

Imbolc, 1976

Voici un charme facile pour amorcer mon Livre des ombres. Je l'ai emprunté à Betts Johnson, sauf que j'utilise des chandelles noires, alors qu'elle se sert de chandelles bleues.

5

Pour chasser une mauvaise habitude

1. *Allumez les chandelles sur l'autel.*

2. *Allumez une chandelle noire. Dites : « Ceci m'empêche d'avancer. C'est terminé. Je ne le referai plus jamais. »*

3. *Allumez une chandelle blanche. Dites : « C'est ma force, mon courage et ma victoire. J'ai déjà remporté cette bataille. »*

4. *Pensez à la mauvaise habitude dont vous voulez vous défaire. Imaginez-vous libéré de cette mauvaise habitude. Au bout de quelques minutes de victoire imaginaire, rangez la chandelle noire, puis la blanche.*

5. *Répétez le processus, une semaine plus tard si nécessaire. Vous obtiendrez de meilleurs résultats durant la lune décroissante.*

Je l'ai mis en pratique jeudi dernier ; cela faisait partie de mon initiation. Je ne me suis plus rongé les ongles depuis.

— Bradhadair

Je me suis réveillée tranquillement, le lendemain de Samhain. J'ai essayé de faire fi de la lumière du jour, mais très vite, rien à faire, j'étais complètement réveillée.

Ma chambre baignait dans la pénombre. C'était le premier jour de novembre et l'automne avait chassé la chaleur de l'été. Je me suis étirée et, submergée par une vague de souvenirs et de sensations fortes, je me suis redressée dans mon lit.

Frissonnante, j'ai revu Cal penché sur moi pour m'embrasser. Je me suis vue lui rendant son baiser en le tenant par le cou, mes doigts caressant ses cheveux si doux. Le contact était établi, notre magye, l'électricité, les étincelles, la façon dont l'Univers gravitait autour de nous... J'ai pensé : je suis une sorcière de sang. Je suis une sorcière de sang ; Cal m'aime ; et j'aime Cal. C'est ainsi.

La veille au soir, j'avais reçu mon premier baiser, trouvé mon premier amour. J'avais aussi trahi ma meilleure amie, semé la zizanie dans mon nouveau cercle, et compris que mes parents me mentaient depuis toujours.

Tout cela s'était passé le jour de Samhain, le 31 octobre, le nouvel an des sorcières. Mon nouvel an, ma nouvelle vie.

Je me suis laissée retomber sur mon oreiller, entre mes draps de flanelle si doux et rassurants. La nuit dernière, j'avais vu mes rêves se réaliser. Je savais cependant, et cela me donnait froid dans le dos, que j'en paierais le prix. Je me sentais beaucoup plus vieille que mes 16 ans.

Sorcière de sang... Cal dit que je suis une sorcière de sang, et après ce qui s'est passé la nuit dernière, après ce que j'ai fait, comment pourrais-je en douter ? Ce doit être la vérité. Je suis une sorcière de sang. Dans mes veines circule le sang hérité de milliers d'années de pratique de la magye, de milliers de mariages entre sorciers. Je suis l'une d'eux, l'héritière de l'un des Sept grands clans : les Rowanwand, les Wyndenkell, les Leapvaughn, les Vikroth, les Brightendale, les Burnhide, et les Woodbane.

Mais lequel ? Les Rowanwand, à la fois professeurs et détenteurs du savoir ? Les Wyndenkell, experts dans l'écriture des sortilèges ? Les Vikroth ? Les Vikroth étaient des guerriers magiques, qui ont été par la suite apparentés aux Vikings. Cette idée m'a fait sourire, car je ne me sentais pas l'âme très guerrière.

Les Leapvaughn étaient espiègles ; ils aimaient jouer des tours. Le clan des Burnhide se servait de pierres précieuses, de cristaux et de métaux pour faire de la magye. Les Brightendale étaient des guérisseurs ; ils recouraient à la magie des plantes pour soigner les maladies. Il y avait aussi les Woodbane ; cette idée me donnait la chair de poule. Je ne pouvais pas appartenir au clan de la noirceur, à ces terribles sorciers qui voulaient le pouvoir à tout prix, qui guerroyaient et trahissaient les autres clans dans le but de contrôler la terre, le pouvoir de la magye, le savoir.

Je réfléchissais. Si je faisais réellement partie de l'un des Sept grands clans, je me sentais plus proche des Brightendale, les guérisseurs. J'avais découvert que j'aimais les plantes, qu'elles m'inspiraient, que c'était tout naturel pour moi de faire appel à leurs pouvoirs magiques. Je souriais aux anges, recroquevillée dans mon lit. Une Brightendale. Une vraie sorcière de sang.

Ce qui signifie que mes parents sont forcément des sorciers de sang eux aussi, pensais-je. C'était une idée étonnante. Je me demandais pourquoi, d'aussi longtemps que je pouvais me souvenir, nous étions allés à l'église chaque dimanche. J'aimais aller à la messe, c'était beau, traditionnel et réconfortant. Mais pour moi, la Wicca avait quelque chose de plus… naturel.

De nouveau, je me suis assise dans mon lit. Deux images me revenaient sans cesse à l'esprit : Cal penché sur moi, son regard doré plongé dans le mien. Et Bree, ma meilleure amie : le choc et la peine sur son visage lorsqu'elle nous a vus ensemble, Cal et moi. L'accusation, la blessure et l'envie. La rage dans ses yeux.

Qu'est-ce que j'ai fait ? ai-je pensé.

Dans la cuisine, au rez-de-chaussée, mes parents préparaient le café, vidaient le lave-vaisselle. M'étant laissée retomber dans mon lit, je tendais l'oreille à ces bruits familiers ; tout n'avait pas complètement changé dans ma vie, hier soir.

Quelqu'un venait d'ouvrir la porte d'entrée pour cueillir le journal. Nous étions dimanche. Nous irions à l'église, puis au Widow's Diner pour le brunch. Verrais-je Cal plus tard? Allais-je lui parler? Sortions-nous ensemble? Formions-nous un couple? Il m'avait embrassée devant tout le monde. Qu'est-ce que ça signifiait? Était-ce possible que Cal Blaire, le beau Cal Blaire, me trouve de son goût, moi, Morgan Rowlands? Moi, avec mes seins plats et mon nez proéminent? Moi, qui ne faisait jamais se retourner les garçons?

Je fixais le plafond comme si j'espérais trouver des réponses dans les fentes du plâtre. Si bien que j'ai sursauté lorsque quelqu'un a poussé la porte de ma chambre.

— Peux-tu m'expliquer ceci?

Ma mère se tenait devant moi, l'air furieux. Elle me montrait un petit paquet de livres retenus ensemble par une ficelle. C'étaient les livres que j'avais laissés chez Bree, parce que mes parents m'interdisaient de les garder, mes livres sur la Wicca, les Sept grands clans, l'histoire de la sorcellerie. Accompagnant mes chers bouquins, un message écrit en grosses lettres disait:

«Morgan, tu as oublié ça chez moi. J'ai pensé que tu pourrais en avoir besoin.» Bree avait décidé de se venger.

— Je pensais qu'on s'était bien comprises, a dit maman d'un ton sec.

Puis, étirant le cou par-dessus son épaule, elle a appelé mon père :

— Sean !

Je me suis levée et j'ai enfilé mes pantoufles.

— Explique-toi ! a repris maman, en haussant le ton de quelques décibels, tandis que mon père arrivait à sa rescousse, l'air inquiet.

— Mary Grace, mais qu'est-ce qui se passe ?

Maman lui a montré les livres en les faisant se balancer au bout de la ficelle, comme s'il s'agissait d'un rat mort.

— Je les ai trouvés sur le seuil de la porte ! Lis le mot de Bree.

Puis, se retournant vers moi, elle a lancé, décontenancée :

— Qu'est-ce que tu t'imagines ? Quand j'ai dit que je ne voulais pas voir ces livres dans ma maison, cela ne voulait pas dire

que je voulais que tu ailles les lire ailleurs !
Tu m'avais pourtant bien comprise,
Morgan !

— Mary Grace, a fait mon père, lui prenant les livres des mains et essayant de la
calmer.

Puis, en silence, il a lu les titres.

Toujours en pyjama, ma petite sœur
s'est pointée à son tour dans ma chambre.

— Qu'est-ce qui se passe ? a demandé
Mary K., en repoussant les mèches qui lui
retombaient sur les yeux.

Personne n'a répondu

J'essayais de réfléchir vite.

— Ces livres ne sont ni dangereux, ni
illégaux. J'avais envie de les lire. J'ai 16 ans,
je ne suis plus une enfant. De toute façon, je
vous ai obéi, puisque je ne les gardais pas
ici.

— Morgan, a répliqué mon père, sur
un ton sévère qui ne lui ressemblait pas du
tout. Tu sais très bien ce que ta mère a voulu
dire en t'interdisant de garder ces livres ici.
Nous t'avons expliqué qu'en tant que catholiques pratiquants, nous croyons que la

sorcellerie est à proscrire. Ce n'est peut-être pas illégal, mais c'est un blasphème.

— Tu as 16 ans, a repris maman. Pas 18. Ce qui veut dire que tu es encore mineure.

Elle avait les joues rouges, les cheveux hirsutes, où couraient des fils d'argent, ce qui m'a fait réaliser que dans 4 ans, elle aurait 50 ans. Ça m'a soudain paru vieux.

— Tu vis sous notre toit, a-t-elle continué, les dents serrées. Nous subvenons à tes besoins. Quand tu auras 18 ans, que tu iras vivre en appartement et que tu auras un emploi, tu pourras acheter tous les livres que tu veux, lire tout ce qui te chante. Mais tant que tu vivras ici, tu dois nous obéir.

Je sentais monter la colère. Pourquoi s'entêtaient-ils ainsi ?

Mais, avant de répondre quoi que ce soit, ces vers me sont revenus en mémoire :

Apaise ma colère,
Modère mes paroles.

Parle avec amour
Et ne blesse personne.

Pendant une seconde, je me suis demandé d'où ces vers avaient pu sortir. Mais, d'où qu'ils proviennent, ce conseil me semblait juste. Je me le suis répété trois fois, puis j'ai senti que mes émotions se calmaient et j'ai dit :

— Je comprends.

Je me sentais soudainement forte et sûre de moi en regardant mes parents et ma sœur.

— Mais, maman, ce n'est pas si facile que ça, lui ai-je expliqué gentiment. Et tu sais pourquoi. Je sais que tu le sais. Je suis une sorcière. Je suis née sorcière. Et si je le suis, c'est parce que tu l'étais avant moi.

2

Différente

14 décembre 1976

Hier soir, notre cercle s'est rassemblé sur l'escarpement, à l'ouest de la ville. Nous étions quinze en tout, dont moi, Angus, Mannannan, le reste de Belwicket, et deux étudiants, Jara et Cliff. Le temps était frisquet et il tombait une pluie fine. Debout autour d'un gros tas de tourbe, nous avons procédé à un rituel de guérison pour la vieille Mme Paxham, qui était malade, au village. J'ai senti le pouvoir dans mes doigts, dans mes bras. J'étais heureuse et j'ai dansé pendant des heures.

— Bradhadair

Ma mère semblait sur le point d'avoir une attaque. Mon père était bouche bée. Mary K. me regardait avec de grands yeux écarquillés.

Maman remuait les lèvres comme si elle essayait de parler, mais pas un mot ne sortait de sa bouche. Elle était très pâle, et j'aurais voulu lui dire de s'asseoir, de se détendre. Mais je n'ai rien dit. Je savais que le moment était crucial pour nous. Je ne pouvais plus reculer.

— Qu'est-ce que tu viens de dire? a-t-elle réussi à articuler dans un murmure.

— J'ai dit que je suis une sorcière, ai-je répété calmement, bien qu'à l'intérieur, j'étais tendue et j'avais les nerfs à vif. Je suis une sorcière de sang, une sorcière génétique. Et si je le suis, il faut que vous deux le soyez aussi.

— Mais, de quoi parles-tu? a demandé Mary K. Une sorcière génétique, ça n'existe pas! Bon sang! tu vas bientôt affirmer que les vampires et les loups-garous existent.

Elle me regardait, incrédule, l'air totalement innocent dans son pyjama à carreaux. Soudain, je me suis sentie coupable, comme si j'avais fait entrer le Malin dans notre maison. Mais ce n'était pas le cas, n'est-ce pas? Tout ce que j'avais fait entrer chez nous, c'était moi, une partie de moi.

J'ai levé la main, mais, ne sachant plus quoi dire, je l'ai laissée retomber.

— Je ne peux pas te croire. Mais qu'est-ce que tu essaies de faire ? a repris Mary K. en faisant un geste en direction de mes parents.

Ignorant sa réplique, maman a dit faiblement :

— Tu n'es pas une sorcière.

— Maman, je t'en prie, ai-je répliqué, c'est comme si tu disais que je ne suis pas une fille ou que je ne suis pas humaine. Bien sûr que je suis une sorcière, et tu le sais très bien. Tu l'as toujours su.

— Morgan, arrête tout de suite, a ordonné Mary K. Tu me fous la trouille. Tu veux lire des livres de sorcellerie ? D'accord. Lis des livres de sorcellerie, fais brûler des chandelles, tout ce que tu voudras. Mais arrête de dire que tu es une sorcière. Tu divagues !

Maman lui a jeté un regard si courroucé que ma petite soeur en est restée muette.

— Pardon, a murmuré Mary K..

— Je suis désolée, Mary K.. Je n'ai pas voulu cela. Mais c'est la vérité. Au moment où je disais cela, il m'est apparu que Mary K. aussi devait être une sorcière. Tu dois en être une toi aussi, ai-je ajouté, trouvant soudain cette idée fascinante.

Je l'ai regardée, excitée et j'ai répété :

— Mary K., toi aussi, tu dois être une sorcière !

— Mary K. n'est pas une sorcière, a hurlé ma mère, et je me suis tue, effrayée par le son de sa voix.

Elle fulminait. Les veines de son cou saillaient et elle était rouge de rage.

— Laisse ta sœur en dehors de ça !

— Mais…

— Mary K. n'est pas une sorcière, Morgan, a repris papa d'un air sévère.

J'ai secoué la tête.

— Mais, il faut qu'elle le soit… Enfin, c'est génétique. Et puisque je le suis et que vous l'êtes, alors…

— Personne n'est une sorcière, a insisté maman, en évitant de me regarder dans les yeux. Certainement pas Mary K..

Ils niaient les faits, mais pourquoi ?

— Maman, c'est correct. Plus que correct. Être une sorcière est une chose merveilleuse, ai-je dit, en repensant aux émotions que j'avais éprouvées la veille. C'est comme d'être...

— Vas-tu arrêter ? s'est écriée maman. Pourquoi t'obstines-tu ainsi ? Pourquoi ne peux-tu pas te contenter de nous écouter ?

Elle semblait sur le point d'éclater en sanglots, et de nouveau, je sentais monter ma colère.

— Je ne peux pas vous écouter, parce que vous avez tort, ai-je répondu en criant. Pourquoi niez-vous la vérité ?

— Nous ne sommes pas des sorcières, a hurlé ma mère, au point que les vitres de ma chambre se sont mises à vibrer.

Elle me fixait intensément. Mon père restait sans voix, et Mary K. semblait malheureuse comme les pierres. J'ai senti la peur s'emparer de moi.

— Oh, ai-je repris. Je suppose que je suis une sorcière, mais pas vous, c'est ça ?

J'étais furieuse, horrifiée de les voir mentir et s'entêter dans leurs mensonges.

— Alors quoi ? ai-je fait en croisant les bras et en les regardant d'un air inquisiteur. Vous m'avez adoptée ?

Silence. Pendant un long moment, nous n'entendions plus que le tic-tac de l'horloge et le bruit rauque des branches du chêne contre le rebord de ma fenêtre. J'ai senti ralentir les battements de mon cœur. Maman a pris appui sur le dossier de mon fauteuil, avant de s'y laisser choir. Le regard fixe et l'œil vide, mon père se balançait d'un pied sur l'autre. Mary K. nous regardait à tour de rôle.

— Quoi? ai-je dit en essayant de sourire. Quoi? Vous l'admettez? J'ai été adoptée?

— Bien sûr que non, a dit Mary K., en regardant maman et papa pour obtenir leur assentiment.

Silence.

En moi, un mur venait de s'effondrer, et je voyais ce qui se cachait derrière : un monde auquel je n'avais jamais rêvé, un monde dans lequel j'avais été adoptée, où je n'étais pas l'enfant biologique de mes parents. J'avais la gorge sèche et l'estomac à l'envers. J'étais prise de nausées, mais il fallait que j'en aie le cœur net.

Passant à côté de Mary K., je suis sortie dans le couloir et j'ai dévalé les marches deux à la fois. J'entendais les pas de mes parents qui me suivaient dans l'escalier. Arrivée dans le bureau, là où mes parents gardaient leurs papiers d'assurances, nos passeports, leur contrat de mariage... nos certificats de naissance, je me suis mise à fouiller avidement.

Respirant à grand peine, j'ai fini par extirper un dossier intitulé Morgan. Je venais de l'ouvrir lorsque mes parents sont arrivés dans le bureau.

— Morgan! Arrête! s'est écrié papa.

Sans faire attention à lui, je me suis mise à chercher parmi mes dossiers de vaccination, mes bulletins scolaires, ma carte de sécurité sociale. Puis j'ai trouvé ce que je cherchais : mon certificat de naissance. Je l'ai parcouru : *Née le 23 novembre.* D'accord. *Poids : quatre kilos.*

Maman s'est approchée et m'a arraché le certificat de naissance des mains. Comme dans un film comique, je le lui ai repris aussitôt. Elle le tenait à deux mains, si bien que le papier s'est déchiré.

Me laissant tomber à genoux, je me suis jetée sur la moitié qui avait glissé sur le plancher, la protégeant jusqu'à ce que je puisse lire ce qui y était inscrit. *Âge de la mère : 23 ans.* Non. C'était faux, puisque maman avait déjà 30 ans passés à ma naissance !

Puis, mes yeux s'étant posés sur ces quelques mots, *Nom de la mère : Maeve Riordan,* les bords du papier sont devenus flous.

Je clignais des yeux, lisant et relisant ce nom à la vitesse de la lumière. Maeve Riordan. Nom de la mère : Maeve Riordan.

Machinalement, j'ai regardé au bas de la page déchirée, m'attendant à voir quelque part, n'importe où, le vrai nom de ma mère : Mary Grace Rowlands.

Choquée, j'ai levé les yeux sur ma mère. Elle semblait avoir vieilli de 10 ans en une demi-heure. Derrière elle, mon père avait les lèvres serrées et ne pipait mot.

Le cerveau en ébullition, j'ai brandi le bout de papier :

— Qu'est-ce que ça signifie ? ai-je demandé d'un air stupide.

Mes parents n'ont pas répondu, et j'ai continué à les regarder. Ma peur m'avait rattrapée et m'envahissait par vagues successives. Soudain, leur présence m'était insupportable. Il fallait que je m'en aille loin. Brusquement, je me suis remise debout et je suis sortie de la pièce en courant, bousculant Mary K. en passant, la jetant presque par terre. J'ai attrapé les clés de ma voiture avant de sortir par la porte de la cuisine, le bout de papier déchiré flottant toujours entre mes doigts. Je me suis précipitée dehors comme si le diable était à mes trousses.

3

Trouve-moi

14 mai 1977

Ces derniers temps, l'école est plus une corvée qu'autre chose. C'est le printemps, la nature se réveille. Je suis dehors, en train de cueillir des plantes pour mes potions. Il me faudra ensuite retourner en classe et apprendre l'anglais. Pour quoi faire ? Je vis en Irlande. De toute façon, j'ai quinze ans maintenant ; je suis assez vieille pour partir. Ce soir, la lune sera pleine, j'en profiterai pour accomplir un rituel de divination. J'espère qu'il me dira si je dois rester en classe ou non. Cependant, la divination est difficile à maîtriser.

J'ai une autre raison de faire de la divination : Angus. Est-il mon mùirn beatha dàn ? Le jour de Beltane, il m'a attirée derrière l'homme de paille et m'a embrassée en disant qu'il m'aimait. Je ne sais pas ce que je ressens pour lui. Je pensais aimer David O'Hearn. Mais il n'est pas l'un des nôtres — pas une sorcière de sang — mais Angus l'est. Chacun de nous a une seule âme sœur, son mùirn beatha dàn. Pour Ma, c'était Pa. Qui est le mien ? Angus dit que c'est lui. Si c'est lui, je n'ai pas le choix, non ?

Pour la divination, je n'utilise pas trop d'eau ; l'eau est ce qu'il y a de plus facile, mais également ce qu'il y a de moins fiable. Tu remplis un petit bol d'eau claire, que tu regardes sous un ciel sans nuage ou près d'une fenêtre. Tu verras les choses assez facilement, mais c'est si souvent trompeur que c'est comme de courir après les problèmes.

La meilleure façon de lire l'avenir, c'est en te servant d'une pierre enchantée, comme l'héliotrope, l'hématite ou le cristal, mais ce n'est pas facile de s'en procurer. Elles disent la vérité, mais te font voir des choses que tu ne voudrais peut-être ni voir, ni savoir. La divination par les pierres est bonne pour voir les choses telles qu'elles se produisent ailleurs ; tu peux, par exemple, surveiller celui que tu aimes ou un ennemi durant la bataille.

Je me sers habituellement du feu. Le feu est imprévisible. Mais je suis faite de feu, nous ne sommes qu'un, alors il me parle. Avec la divination par le feu, lorsque je vois quelque chose, il peut s'agir du passé, du présent ou de l'avenir. Bien sûr, en ce qui a trait au futur, il n'y a qu'un avenir possible. Mais *ce que je vois dans le feu est vrai, aussi vrai qu'il est possible de l'être.*

J'aime le feu.

— *Bradhadair*

J'ai couru à travers la pelouse raide de givre, qui craquait faiblement sous mes pantoufles. La porte s'est ouverte derrière moi, mais j'étais déjà installée sur le siège glacial de Das Boot, ma Valiant blanche, dont je faisais vrombir le moteur.

— Morgan! a crié mon père tandis que je sortais de l'allée dans un crissement de pneus, la voiture titubant comme un bateau sur une mer agitée.

Par le rétroviseur, j'ai aperçu mes parents debout dans le parterre. J'ai vu ma mère s'effondrer et mon père tenter de la soutenir. J'ai éclaté en sanglots, tout en roulant trop vite sur Riverdale.

Sanglotant, j'ai essuyé mes larmes d'une main et j'ai frotté mon nez avec ma manche. J'ai parti le chauffage de Das Boot, mais évidemment, une éternité s'est écoulée avant que je sente la chaleur se répendre dans l'habitacle.

Je venais de prendre la rue où habitait Bree, lorsque je me suis souvenue que nous n'étions plus amies. Si elle n'avait pas déposé ces livres sur le seuil de notre maison, je n'aurais jamais su que j'avais été adoptée. Si Cal ne s'était pas interposé entre nous, elle n'aurait jamais abandonné ces livres sur le seuil.

Je pleurais à chaudes larmes, secouée par de violents sanglots, lorsque j'ai fait demi-tour juste avant d'arriver devant son entrée. Puis j'ai appuyé sur l'accélérateur et j'ai roulé, mon seul but étant d'aller le plus loin possible.

Au bout d'un moment, j'ai allongé le bras pour repêcher une boîte de mouchoirs sous le siège avant. Il y avait déjà plusieurs petites boules humides et froissées qui jonchaient le siège du côté passager et le plancher de la voiture. J'avais pris vers le nord pour sortir de la ville. La route suivait une vallée basse, et une brume épaisse rampait sur l'asphalte. Das Boot avançait dans le brouillard comme une brique lancée dans les nuages. Au loin, j'ai aperçu une ombre épaisse sur le côté de la route. C'était le chêne sous lequel nous nous étions garés, pas plus tard que la veille, pour fêter Samhain, et sous lequel je m'étais garée la première fois que j'avais participé au cercle avec Cal, quelques semaines plus tôt. Lorsque la magye était arrivée dans ma vie.

Sans prendre le temps d'y penser, j'ai bifurqué sur le bas-côté et me suis arrêtée sous les branches basses du chêne. Ici, je serais protégée par la brume et l'arbre. J'ai arrêté le moteur, me suis penchée sur le volant, et j'ai essayé de cesser de pleurer.

Adoptée. Le moindre détail me revenait en mémoire ; toutes les petites choses qui faisaient que j'étais si différente de ma famille me revenaient en pleine face et me narguaient. Hier, ce n'étaient que taquineries familiales : ils sont matinaux, alors que je suis un oiseau de nuit ; ils sont d'un naturel joyeux, alors que je suis plutôt grognon. Maman et Mary K. sont mignonnes et tout en courbes, alors que je suis maigre et intense. Aujourd'hui, en me les rappelant les unes après les autres, ces blagues me faisaient de la peine.

— Merde! Merde! Merde! ai-je crié, en donnant des coups de poing sur le volant. Merde!

J'ai frappé le volant jusqu'à ce que je ne sente plus mes mains, que j'aie proféré tous les jurons que je connais; jusqu'à ce que ma gorge me fasse mal.

Puis, j'ai recommencé à pleurer, effondrée sur le siège. Je ne sais combien de temps je suis restée là, isolée dans ma voiture, au cœur de cette brume épaisse. De temps à autre, je mettais le chauffage pour ne pas trop frissonner. Les vitres étaient embuées et opaques.

Peu à peu, mes sanglots se sont transformés en hoquet saccadé et en frissons occasionnels. *Oh! Cal*, ai-je pensé. *J'ai besoin de Cal.* Aussitôt que cette pensée m'a effleuré l'esprit, une petite rime m'est revenue en tête : *Dans ma tête je te vois ici. Dans ma douleur, j'ai besoin de toi, ici. Trouve-moi, retrace-moi là où je suis. Viens ici, viens ici, viens à moi.*

J'ignorais leur provenance, mais je commençais à m'habituer aux pensées étranges qui m'assaillaient. Ces paroles m'avaient apaisée, alors je me les suis répétées encore et encore. La tête enfouie au creux de mon bras, je souhaitais désespérément me réveiller dans mon lit, chez moi, et constater que tout cela n'avait été qu'un cauchemar.

Quelques minutes plus tard, j'ai sursauté lorsque quelqu'un a frappé à la vitre, côté passager. M'étant redressée, j'ai frotté la buée qui s'y était formée, pour voir qui était là. C'était Cal, l'air à peine éveillé, les cheveux ébouriffés, beau comme un dieu.

— Tu m'as appelé? a-t-il dit, ce qui m'a fait chaud au cœur. Ouvre, on gèle dehors.

Ç'a marché, ai-je pensé, émerveillée. Je l'ai appelé en pensée et ç'a marché. Magyque.

J'ai ouvert la portière et il s'est assis à côté de moi. Aussitôt, cela m'a semblé naturel de me coller sur lui et de sentir son bras m'entourer les épaules.

— Qu'est-ce qui ne va pas? a-t-il demandé, les lèvres enfouies dans mes cheveux. Qu'est-ce qui se passe?

Puis, m'écartant de lui, il a regardé mon visage baigné de larmes.

— J'ai été adoptée! ai-je réussi à articuler. Ce matin, j'ai dit à ma mère que j'étais une sorcière de sang et qu'elle devait l'être aussi, ainsi que mon père et ma sœur. Ils ont dit que non, que je me trompais. Alors j'ai couru dans le bureau pour retrouver mon acte de naissance, et j'y ai lu un nom qui n'était pas celui de ma mère.

J'ai recommencé à pleurer, même si j'aurais préféré qu'il ne me voie pas dans cet état. Il m'a serrée plus fort, en tenant ma tête contre son épaule. C'était si réconfortant que j'ai cessé mes pleurs presque immédiatement.

— Ce n'était pas la meilleure manière de le découvrir, a-t-il convenu, déposant un baiser sur ma tempe.

Un petit frisson de plaisir a parcouru ma colonne vertébrale et j'ai pensé : c'est un miracle; il m'aime encore aujourd'hui. Ce n'était donc pas un rêve.

Il s'est écarté et nous nous sommes regardés longuement, dans la lumière floue du matin. Je le trouvais tellement beau. Sa peau était douce et bronzée, même en novembre. Ses cheveux foncés, parsemés de mèches ambrées, étaient épais sous mes doigts. Entourés de cils épais et noirs, les iris de ses yeux étaient d'un doré si profond, qu'on aurait dit qu'un feu y brûlait.

Je me suis sentie gênée en m'apercevant qu'il m'examinait avec autant de souci que je l'examinais. Puis, à la commissure de ses lèvres, j'ai vu se dessiner un petit sourire.

— Tu es partie en coup de vent, non ?

J'ai réalisé à ce moment-là que je portais toujours mon grand T-shirt de football sur une vieille paire de caleçons longs appartenant à mon père, avec l'ouverture à l'avant, sans oublier mes pantoufles en peluche pattes d'ours. Cal s'est penché et a fait semblant de leur chatouiller les griffes. Je pensais aux jolies nuisettes en soie que portait Bree pour aller au lit, et avec un pincement au cœur, je me suis rappelé qu'elle m'avait affirmé avoir couché avec Cal. J'ai scruté son regard dans l'espoir d'y lire si c'était la vérité, me demandant si je pourrais supporter de connaître la vérité.

Mais à présent, il était là, avec moi.

— Tu es ce que j'ai vu de mieux depuis ce matin, a dit Cal doucement, en me serrant un peu plus fort. Je suis content que tu m'aies appelé. Tu m'as manqué hier soir, lorsque je suis rentré.

J'ai baissé les yeux, m'imaginant étendue dans son grand lit romantique, les rideaux flottant au vent et les flammes des chandelles dansant autour de nous. Cal avait pensé à moi avant de s'endormir.

— Comment as-tu deviné la formule pour m'appeler à la rescousse ? Est-ce que tu l'avais lue dans un livre ?

— Non, ai-je répondu, après un moment de réflexion. Je ne crois pas. J'étais assise ici, malheureuse, et j'ai simplement pensé que si tu étais là, je me sentirais mieux, puis ce petit vers m'est venu en tête, alors je l'ai récité.

— Euh, a fait Cal, songeur.

— Je n'aurais pas dû ? ai-je demandé, soudain embarrassée. Il arrive que des paroles me viennent à l'esprit sans même que j'y réfléchisse.

— Non, ça va, a dit Cal. Cela veut seulement dire que tu es puissante. Tu as une mémoire ancestrale des formules magiques. Ce n'est pas le cas de toutes les sorcières. Bon, raconte-moi tout. Tes parents ne t'avaient jamais dit que tu avais été adoptée?

Le bras toujours appuyé contre le dossier de mon siège, il me caressait les cheveux et la nuque.

— Non, jamais ai-je répondu en secouant la tête. Et ils auraient dû le faire, je suis tellement différente d'eux.

— Je n'ai jamais rencontré tes parents, mais c'est vrai que tu ne ressembles pas beaucoup à ta sœur, a repris Cal en me regardant par en dessous. Mary K. a l'air charmante, a-t-il ajouté en souriant, et elle est jolie.

J'ai senti un tison de jalousie me brûler la poitrine.

— Toi, tu es différente; tu as l'air sérieuse… profonde. Comme tes pensées. Et tu es plus frappante que jolie. Tu es le genre de fille dont la beauté apparaît lorsque tu y regardes de plus près.

Sa tête touchait presque la mienne et son débit s'était fait plus lent, quand il a murmuré :

— ...et puis soudain, cela te frappe et tu penses : Déesse, fais qu'elle soit à moi.

Encore une fois, ses lèvres ont touché les miennes, et je me suis laissée emporter. J'ai enroulé mes bras autour de ses épaules et je l'ai embrassé passionnément, me collant contre son corps. Tout ce que je désirais, c'était être avec lui, ne jamais plus le quitter.

Pendant de longues minutes, je n'entendais plus que nos respirations, nos lèvres se joignant et se séparant sans se lasser et les sièges de vinyle de Das Boot qui craquaient à chaque mouvement que nous faisions pour nous rapprocher encore plus. Ses mains couraient sur mes hanches, remontaient vers mes épaules, redescendaient jusqu'à ma taille, puis encore sur mes hanches, lorsque soudain, je les ai senties sous mon T-shirt, chaudes contre ma poitrine, et mon corps a été parcouru d'ondes de choc.

— Arrête ! ai-je lancé, à demi effrayée. Attends.

Ma voix résonnait dans cet espace silencieux. Immédiatement, Cal a retiré sa main. Il s'est redressé pour me regarder dans les yeux, puis s'est éloigné en s'appuyant à la portière, le souffle court.

J'avais honte. Pauvre idiote, ai-je pensé. Il a presque 18 ans ! Il a déjà eu des relations sexuelles. Peut-être même avec Bree, a ajouté une petite voix fluette.

J'ai secoué la tête.

— Pardon, ai-je ajouté, en essayant d'avoir l'air naturel. Je ne m'y attendais pas, c'est tout.

— Non, non, c'est moi qui te demande pardon, a-t-il objecté en me prenant la main.

J'étais galvanisée par sa chaleur et sa force.

— Tu m'appelles au secours, et je te saute dessus. Je n'aurais pas dû. Pardonne-moi.

Il a porté mes doigts à sa bouche et y a déposé un baiser.

— En fait, je rêvais de ce baiser depuis le jour où je t'ai vue pour la première fois, a-t-il ajouté avec un petit sourire gêné.

Rassurée, j'ai avoué à mon tour :

— J'en rêvais moi aussi.

— Il a souri.

— Ma sorcière, a-t-il ajouté en me caressant la joue du bout de son doigt, y laissant une mince ligne de chaleur. Maintenant, raconte-moi comment tu as annoncé à ta mère que tu es une sorcière de sang.

J'ai lâché un long soupir.

— Ce matin, sur le seuil de notre porte, elle a trouvé une pile de livres sur la Wicca, des livres de magye. Elle est entrée en trombe dans ma chambre en criant que c'était du blasphème.

J'étais toute retournée rien qu'à me rappeler cette horrible scène.

— Je l'ai trouvée affreusement hypocrite. Tu comprends, je me disais que si j'étais une sorcière de sang, c'était parce que ma mère et mon père l'étaient avant moi, non?

— En principe, a répondu Cal. En fait, avec des pouvoirs aussi étendus que les tiens, il faut définitivement que tes parents soient des sorciers.

J'ai froncé les sourcils.

— Peut-on avoir un seul parent sorcier ?

— Un homme ordinaire et une femme sorcière ne peuvent pas concevoir d'enfant, a expliqué Cal. Un homme sorcière peut procréer avec une femme ordinaire, mais c'est un acte conscient, et au mieux, leur bébé héritera de pouvoirs très réduits ; il pourrait même ne pas avoir de pouvoirs du tout. Pas comme toi.

J'avais l'impression d'avoir accompli quelque chose. J'étais une sorcière puissante.

— Bon, maintenant, comment se fait-il que tes livres se soient retrouvés sur le seuil ? Est-ce que tu les cachais ?

— Oui, ai-je avoué sur un ton amer. Chez Bree. Ce matin, elle les a laissés sur le seuil. Tout ça parce que nous nous sommes embrassés hier soir.

— Quoi ? a demandé Cal, le regard sombre.

— Bree voulait… elle te voulait. Elle te veut, ai-je dit en haussant les épaules. Et lorsque tu m'as embrassée, je sais qu'elle a eu l'impression que je la trahissais…

J'ai avalé ma salive et regardé par la fenêtre.

— Je *l'ai* trahie, ai-je dit doucement. Je connaissais ses sentiments pour toi.

— Et toi, quels sont tes sentiments pour moi? a-t-il demandé au bout d'un moment, tournant et retournant une mèche de mes cheveux entre ses doigts.

La veille, il m'avait dit qu'il m'aimait. Je l'ai regardé, dans la faible lumière de novembre qui chassait la brume autour de nous. J'ai pris une grande respiration pour tenter de ralentir les battements de mon cœur qui s'était emballé, et j'ai dit dans un souffle :

— Je t'aime.

Cal a plongé son regard dans le mien. Ses yeux brillaient.

— Je t'aime aussi. Je suis désolé si cela fait de la peine à Bree, mais ce n'est pas parce qu'elle s'est amourachée de moi que je vais sortir avec elle.

Est-ce que cela t'a empêché de coucher avec elle ? ai-je failli lui demander, mais j'en ai été incapable. Je n'étais pas sûre de vouloir le savoir.

— Et je suis désolé que Bree puisse t'en vouloir pour ça, a-t-il ajouté. Ta mère a trouvé les livres et t'a crié après ; alors tu as cru qu'elle t'avait caché qu'elle était elle-même une sorcière, c'est ça ?

— Ouais. Pas seulement elle, mais aussi mon père et ma sœur. Mais, mes parents se sont fâchés quand j'ai dit cela. Je ne les avais jamais vus aussi furieux. Ensuite j'ai dit : Eh bien quoi ? Je suis adoptée ? Et leurs visages se sont décomposés sous mes yeux. Ils n'ont pas répondu. Il fallait que j'en aie le cœur net : alors j'ai couru au rez-de-chaussée pour voir mon acte de naissance.

— Et tu y as lu un autre nom.

— Oui. Maeve Riordan.

— Vraiment, s'est étonné Cal en se redressant.

— Quoi ? Est-ce que tu connais ce nom ?

— J'ai l'impression de l'avoir déjà entendu.

Il a froncé les sourcils puis a regardé dehors pour réfléchir, et il a secoué la tête.

— Non, peut-être pas. Je ne m'en souviens pas.

— Oh, ai-je fait, ravalant ma déception.

— Que vas-tu faire maintenant ? Veux-tu venir chez moi ? a-t-il proposé. On pourrait aller se baigner, a-t-il ajouté avec un petit sourire narquois.

— Non, merci, ai-je répondu en me rappelant cette soirée à la piscine avec notre cercle ; j'étais la seule à ne pas s'être mise à poil.

Cal a ri de bon cœur.

— J'étais déçu ce soir-là, tu sais, a-t-il avoué en me regardant.

— Non, tu ne l'étais pas, ai-je répliqué, en me croisant les bras sur la poitrine, ce qui l'a fait glousser.

— Sérieusement, veux-tu venir chez moi, ou préfères-tu que je vienne chez toi et que je t'aide à parler à tes parents ?

— Merci, ai-je répondu, touchée par son offre. Mais je crois que je ferais mieux de rentrer seule. Avec un peu de chance, ils seront tous partis à la messe. C'est la Toussaint.

— Qu'est-ce que c'est ? a demandé Cal.

Je me suis souvenue qu'il n'était pas catholique, ni même chrétien.

— La Toussaint, c'est le jour qui suit l'Halloween. C'est une journée spéciale pour les catholiques, la journée où nous allons au cimetière pour entretenir les tombes de la famille : tondre la pelouse, déposer des fleurs fraîches.

— Cool, a dit Cal. C'est une belle tradition. Bizarre que ce soit le lendemain de Samhain. En fait, il semble bien que de nombreuses fêtes chrétiennes découlent de nos vieilles traditions wiccanes.

J'ai fait signe que oui.

— Je sais. Mais rends-moi service et n'en parle pas à mes parents. De toute façon, je ferais mieux de rentrer.

— OK. Est-ce que je peux te téléphoner plus tard ?

— Oui, ai-je répondu sans pouvoir m'empêcher de sourire.

— Je pense que je vais utiliser le téléphone, a-t-il dit, pour se moquer de mes pouvoirs télépathiques.

Je songeais à la manière dont il m'était apparu lorsque j'avais prononcé ma petite phrase. J'étais encore étonnée que ce truc ait fonctionné.

Puis il s'est extirpé de Das Boot et est sorti dans l'air frisquet de novembre. Il est remonté dans sa voiture et a démarré en m'envoyant la main.

Mon univers baignait dans la lumière incandescente du soleil. Cal était amoureux de moi.

4

Maeve

7 février 1978.

Avant-hier soir, quelqu'un a écrit à la bombe les mots « Sorcière sanguinaire » sur le mur de la boutique de Morag Sheehan. Notre cercle a déménagé et s'est rassemblé à l'abri de la falaise, un peu en bas de la côte.

Hier soir tard, nous sommes allées chez Morag, Mathair et moi. Heureusement, c'était soir de nouvelle lune et la nuit était noire, le temps idéal pour les sortilèges.

Rituel de guérison.
Protection contre le Malin. Purification.

1. Tracez un cercle autour de ce que vous désirez protéger. (Il m'a fallu inclure la vieille confiserie Burdock, car les deux bâtisses sont mitoyennes.)

2. *Purifiez le cercle avec du sel. Nous n'avons utilisé aucun éclairage et aucun encens, seulement du sel, de l'eau et de la terre.*

3. *Appelez la Déesse. Je portais mes bracelets de cuivre et je tenais un morceau de soufre, un morceau de marbre du jardin, un morceau de bois pétrifié, et un bout de coquillage.*

4. *Ensuite, Ma et moi avons dit à voix basse : « Déesse, entends nos prières, protège et bénis cette terre. Morag est une servante authentique, protège-la de ceux qui agissent avec méchanceté. » Nous avons encore invoqué la Déesse et le Dieu, puis nous avons fait trois fois le tour de la boutique.*

5. *Personne ne nous a vues, à ce que je sache. En rentrant à la maison, Ma et moi, nous nous sentions fortes. Ce rituel devrait aider à protéger Morag*

— Bradhadair

Je roulais tranquillement dans notre rue, anxieuse à l'idée de retrouver mes parents m'attendant debout devant la maison. Mais, m'étant suffisamment rapprochée, j'ai pu constater que la voiture de mon père n'était pas dans l'entrée. Ils devaient tous être à la messe.

La maison était silencieuse, même si les vibrations du choc qu'avaient provoqué les événements de ce matin étaient encore palpables, elles imprégraient l'air comme un parfum capiteux.

— Maman? Papa? Mary K.? ai-je appelé.

Pas de réponse. Lentement, j'ai fait le tour de la maison. Le petit-déjeuner était resté sur la table de la cuisine; personne n'y avait touché. J'ai éteint la cafetière. Le journal était resté plié; de toute évidence, personne ne l'avait lu. Ce n'était certes pas un dimanche matin ordinaire.

Saisissant ma chance, je me suis précipitée dans le bureau. Mais l'acte de naissance déchiré avait disparu. Les dossiers de mon père étaient rangés et son tiroir avait été fermé à clé pour la première fois, d'aussi longtemps que je pouvais me souvenir

Sans perdre une minute et tout en gardant une oreille attentive, j'ai fouillé le reste du bureau. Je n'ai rien trouvé et suis restée accroupie un moment, à réfléchir.

La chambre de mes parents ! J'ai grimpé les marches en courant vers leur chambre en désordre. Comme un voleur, j'ai ouvert le premier tiroir de la commode : bijoux, boutons de manchettes, stylos, signets, vieilles cartes d'identité, rien d'incriminant, rien qui puisse me fournir l'information que je cherchais.

En me tapotant la lèvre du doigt, j'ai jeté un regard circulaire dans la chambre : des photographies encadrées de Mary K. et moi bébés étaient posées sur la coiffeuse. Je les ai examinées. Sur l'une d'elles, mes parents me tenaient fièrement, petite Morgan dodue de neuf mois, riant et tapant des mains. Sur une autre, maman était assise dans un lit d'hôpital, tenant dans ses bras une Mary K. nouvellement née, qui ressemblait à un singe nu. J'ai soudain pris conscience que je n'avais jamais vu une photo de moi à ma naissance. Pas une seule photo de moi nourrisson, ou minuscule, ou apprenant à me tenir assise. Mes photos commençaient à l'âge de huit mois environ.

Ou neuf? Était-ce l'âge que j'avais lorsqu'ils m'avaient adoptée?

Adoptée. Cette pensée était encore tellement bizarre, et pourtant, je m'y étais déjà résignée. D'une certaine manière, ça expliquait tout. Mais d'une autre manière, cela n'expliquait rien du tout. En tout cas, ça soulevait de nombreuses questions.

J'ai voulu comparer mon album de bébé à celui de Mary K. Le mien donnait bien mon poids à la naissance et ma date de naissance. Sous *Premières impressions*, maman avait écrit : «Elle est incroyablement belle. Tout ce que j'avais espéré et dont j'avais rêvé depuis si longtemps.»

J'ai refermé l'album. Comment avaient-ils pu me mentir tout ce temps? Pourquoi m'avaient-ils fait croire que j'étais vraiment leur fille? À présent, je me sentais désorientée, sans vraies racines. Tout ce en quoi j'avais cru jusqu'ici me semblait faux tout à coup. Pourrais-je jamais leur pardonner?

Il fallait qu'ils acceptent de répondre à mes questions. J'avais le droit de savoir. Je me suis pris la tête à deux mains. Je me sentais fatiguée, vieille, et vide émotionnellement.

Il était midi. Iraient-ils manger au Widow's Diner après la messe ? Se rendraient-ils ensuite au cimetière pour déposer des fleurs sur les tombes des Rowlands et des Donovan, la famille de ma mère.

Oui, sans doute. Je suis retournée dans la cuisine avec l'idée d'avaler une bouchée, car je n'avais rien mangé depuis le matin. Mais j'étais trop perturbée pour avaler quoi que ce soit et je me suis contentée d'un cola. Puis je me suis rendue dans le bureau, où se trouvait l'ordinateur.

Je voulais amorcer une recherche. Les sourcils froncés, je cherchais à me rappeler l'épellation exacte de son nom. Maive ? Mave ? Maeve ? Le nom de famille était Riordan ; de cela, j'étais certaine.

Lorsque j'ai tapé Maeve Riordan, 27 résultats sont apparus. J'ai poussé un soupir et j'ai commencé à les faire défiler : une ferme de chevaux dans le Massachusetts ; un médecin à Dublin, spécialisé dans les problèmes d'audition. Je procédais par élimination, lisant quelques lignes et refermant les fenêtres une à une. Je ne savais pas quand ma famille rentrerait, ni à quoi je devais m'attendre en les retrouvant. Je me sentais écorchée et néanmoins détachée, comme si tout cela arrivait à quelqu'un d'autre.

Clic. Maeve Riordan : auteure de romans à succès vous présente *Mon amour des Highlands*.

Clic. Maeve Riordan. Un lien *html*. J'ai cliqué dessus. Il s'agissait d'un site de généalogie, avec des liens vers d'autres sites du même type. Super. Le nom Maeve Riordan apparaissait dans trois de ces sites. J'ai cliqué sur le premier. Un arbre généalogique sommaire est apparu, et au bout d'une minute, j'y ai trouvé le nom que je cherchais. Malheureusement, cette Maeve Riordan avait trépassé en 1874.

Je suis revenue en arrière et un autre lien m'a menée dans un site où il n'y avait aucune date nulle part, comme s'il était toujours en construction. C'était très frustrant.

La troisième fois sera la bonne, ai-je pensé, en cliquant sur le dernier site. Les mots *Belwicket et Ballynigel* sont apparus en haut de l'écran, en jolis caractères celtiques. C'était un autre arbre généalogique ; celui-ci comprenait de nombreuses branches, comme s'il s'agissait davantage d'une forêt généalogique ou comme si les gens n'avaient pas trouvé de lien commun entre leurs familles.

Sans perdre une minute, j'ai cherché le nom de Maeve Riordan. Il y avait beaucoup de Riordan. Puis je l'ai vu : *Maeve Riordan, née à Imbolc en 1962, Ballynigel, Irlande. Morte à Litha en 1986, Meshomah Falls, New York, États-Unis.*

Je suis restée bouche bée, les yeux rivés sur l'écran. Imbolc. Litha. C'étaient des sabbats Wiccans. Cette Maeve Riordan était une sorcière.

Une onde de chaleur soudaine a déferlé dans ma tête et j'ai senti des fourmillements dans les joues. J'essayais de réfléchir... 1986. Elle est morte durant l'année qui a suivi ma naissance. Et elle était née en 1962. Ce qui lui donnait exactement l'âge de la femme dont le nom apparaissait sur mon acte de naissance.

C'est elle, ai-je pensé. Il faut que ce soit elle.

Frénétiquement, j'ai cliqué partout sur l'écran, essayant de trouver de nouveaux liens. Je voulais obtenir plus de renseignements. Beaucoup plus. Mais au lieu de ça, un message est apparu sur l'écran : Temps de connexion épuisé. L'URL ne répond pas.

Frustrée, j'ai éteint l'ordinateur et je suis restée là, assise, à réfléchir. Tout se bousculait dans ma tête : Meshomah Falls, New York. Je connaissais ce nom. C'était une petite ville pas très loin d'ici, à deux heures de route peut-être. Il fallait que je consulte les fichiers de la ville. Il fallait que je consulte leurs... journaux.

Deux minutes plus tard, je m'étais habillée et j'étais au volant de Das Boot, en route pour la bibliothèque. Widow's Vale comptait trois bibliothèques, mais une seule, la plus importante, était ouverte le dimanche. Aussitôt entrée dans le bâtiment, je me suis précipitée au sous-sol.

Il n'y avait personne d'autre que moi. Seulement des rangées et des rangées de bouquins, des vieux périodiques, des piles de livres à réparer, et quatre affreuses machines à microfiches noires et imitation bois.

Allez, Allez, ai-je pensé en tripotant les fichiers. J'ai dû mettre un bon 20 minutes pour trouver le tiroir qui contenait les vieux numéros du *Meshomah Falls Herald*. Un autre 15 minutes pour m'y retrouver dans les dates, en faisant le décompte depuis ma date de naissance, jusqu'à environ 8 mois plus tard. Enfin, j'ai sorti une enveloppe, j'ai allumé une machine à microfiches, et je me suis assise.

Puis, faisant glisser la carte minuscule sur la source d'éclairage, j'ai tourné le bouton.

Quarante-cinq minutes plus tard, je me suis frotté la base du cou. J'en savais maintenant plus sur Meshomah Falls, New York, que quiconque aurait pu souhaiter en savoir. Il s'agissait d'une communauté agricole, plus petite et surement plus ennuyeuse encore que Widow's Vale.

Je n'avais rien trouvé sur Maeve Riordan. Pas de notice nécrologique, rien. Eh bien, ce n'était pas vraiment étonnant. Il me faudrait probablement me faire à l'idée que je n'apprendrais jamais rien sur mon passé.

Il restait deux microfiches à consulter. Je me suis rassise en soupirant. Cette machine me faisait horreur.

Cette fois-ci, j'ai trouvé l'article presque immédiatement. En y lisant le nom de Maeve Riordan, j'ai senti le duvet se hérisser sur ma peau. Sans bouger de ma chaise, j'ai ajusté le centre de la page, puis j'ai collé mon œil sur le viseur. *Un corps calciné au point d'être méconnaissable a été identifié comme étant celui de Maeve Riordan, originaire de Ballynigel, Irlande…*

Je fixais l'écran, la gorge serrée. Était-ce bien elle? S'agissait-il bien de ma mère biologique? Je n'avais jamais mis les pieds à Meshomah Falls. Je n'avais jamais entendu mes parents mentionner cet endroit. Et pourtant, Maeve Riordan était morte brûlée à Meshomah Falls.

Je me suis mise à trembler malgré moi, le regard dans le vide. Puis, je me suis hâtée d'enregistrer l'article succinct du journal.

Le 21 juin 1986, le corps d'une jeune femme non identifiée avait été retrouvé dans les ruines d'une grange incendiée, sur une ferme abandonnée de Meshomah Falls. Après examen des empreintes dentaires, le corps avait été identifié comme étant celui de Maeve Riordan, qui louait une petite maison à Meshomah Falls et travaillait dans un café du centre-ville. Maeve Riordan, 23 ans, originaire de Ballynigel, Irlande, n'était pas bien connue dans la région. Un autre corps retrouvé dans les décombres avait été identifié comme celui d'Angus Bramson, 25 ans, également de Ballynigel. Personne n'a pu expliquer la raison de leur présence dans la grange. La cause de l'incendie n'a pas été élucidée.

Cette année-là, le 21 juin correspondait à Litha; la date variait selon le moment exact de l'équinoxe. Et le bébé? Nulle part il n'était fait mention d'un bébé.

J'avais le cœur serré. Des images d'un rêve que j'avais fait récemment me revenaient en mémoire : j'étais dans un décor rustique, dans les bras d'une jeune femme qui m'appelait son bébé. Qu'est-ce que ça voulait dire ?

D'un geste brusque, j'ai éteint la machine. Je me suis relevée si vite que j'ai failli perdre l'équilibre et j'ai dû me rattraper au dos de ma chaise.

J'avais la quasi-certitude que cette Maeve Riordan m'avait donné la vie. Pourquoi m'avait-elle donnée en adoption ? Ou alors, aurais-je été adoptée seulement après sa mort ? Angus Bramson était-il mon père ? Qu'est-ce qui avait provoqué l'incendie de cette grange ?

Lentement, j'ai remis toutes les microfiches à leur place. Puis, me frottant les tempes, j'ai gravi l'escalier et suis sortie de la bibliothèque. Dehors, le temps était gris et nuageux, et le parterre devant la bibliothèque était jonché de feuilles d'érable d'un jaune éclatant. C'était l'automne et l'hiver était à nos portes.

Les saisons changeaient avec une grâce subtile, nous faisant passer de l'une à l'autre, en douceur. Mais ma vie, toute ma vie, venait de changer en un clin d'œil.

5

Des raisons

samhain, 31 octobre 1978

Ma et Pa ont parcouru mon *Livre des ombres* et
ont dit qu'ils ne le trouvaient vraiment pas à la
hauteur. Il faut que j'écrive plus souvent, que
j'explicite mieux mes sortilèges ; il faut que j'ex-
plique les influences de la lune, du soleil, des marées
et des étoiles. J'ai demandé pourquoi, car les gens
savent tout cela. Maman a répondu que c'est pour les
enfants, les sorcières qui naîtront après moi. Un peu
comme maman et papa l'ont fait en me montrant
leurs livres. Ils en ont cinq maintenant : ce sont ces
gros livres noirs qui trônent sur le manteau de la
cheminée. Quand j'étais petite, je croyais qu'il s'agissait d'albums photos. J'en ris aujourd'hui : des photos
de sorcières !

Mais tu sais, mes sortilèges et tout le reste, je les
garde dans ma tête. J'aurai bien le temps de les consi-
gner plus tard. Beaucoup de temps. J'ai surtout envie

d'écrire mes sentiments et mes réflexions. Mais je ne veux pas que mes parents puissent lire mes réflexions; arrivés à la partie où j'embrassais Angus, ils se sont mis en colère! Pourtant, ils connaissent Angus et ils l'aiment bien. Ils le voient assez souvent et ils savent que c'est lui que j'ai choisi. Angus est bon, et qui d'autre se soucie de moi ici? Ce n'est pas comme si je pouvais me tenir avec n'importe quel garçon; en tout cas, pas si je veux vivre ma vie et avoir des enfants. J'ai de la chance qu'Angus soit aussi gentil.

Voici un bon charme pour faire que l'amour diminue : lorsque la lune est à son déclin, prenez quatre poils provenant d'un chat noir; il faut que le chat soit complètement noir, sans un seul poil blanc. Procurez-vous une chandelle blanche, les pétales séchés de trois roses rouges, et un bout de ficelle. Écrivez votre nom et le nom de la personne que vous désirez repousser sur deux feuilles de papier, et attachez une feuille à chaque extrémité de la ficelle.

Sortez dehors. (Ce charme fonctionne mieux au moment de la nouvelle lune ou le jour précédant la nouvelle lune.) Préparez votre autel; purifiez votre cercle; invoquez la Déesse. Installez votre chandelle blanche. Dispersez les pétales de rose autour de la chandelle. Prenez les quatre poils de chat et placez-les sur les quatre points cardinaux : N, S, E, et O. (S'il y a du vent, faites-les tenir sous des pierres.) Allumez la chandelle et tenez la ficelle par le milieu, bien tendue, à treize centimètres environ au-dessus de la chandelle, et dites :

Comme la lune décline, ainsi décline ton amour.
Je suis un aigle, je ne suis plus ta colombe.
Un autre visage, plus franc que le mien,
Ne tardera pas à gagner ton amour.

Répète ceci, jusqu'à ce que la ficelle se soit entièrement consumée et que les deux noms soient séparés à jamais. Ne le fais pas sur le coup de la colère, car ton amour ne sera plus jamais tien. Tu dois être absolument sûr de vouloir éloigner cette personne, à tout jamais.

P.S. Les poils de chat ne servent à rien. Je les mets uniquement pour donner à ce charme un air de mystère.

— Bradhadair

J'étais dans la cuisine, en train de manger une portion de lasagne que j'avais mise à réchauffer, lorsque mes parents et

Mary K. sont rentrés à la fin de l'après-midi.
Ils m'ont tous regardée comme s'ils venaient
de surprendre une étrangère dans leur
cuisine.

— Morgan, a dit papa en se raclant la
gorge.

Il avait les yeux injectés de sang ; il était
livide et semblait plus vieux que ce matin.
Ses cheveux noirs clairsemés lui collaient
au crâne et ses épaisses lunettes à tiges de
métal lui donnaient l'air d'un hibou.

— Oui ? ai-je répondu avant d'avaler
une gorgée de soda, étonnée d'entendre
l'assurance froide de ma voix.

— Ça va ?

La question était ridicule, mais c'était
tout à fait le genre de papa.

— Eh bien !... je viens de découvrir que
j'ai été adoptée et que vous m'avez menti
toute ma vie, ai-je dit sans le regarder, sur
un ton neutre. Sinon, tout va bien, ai-je
ajouté en haussant les épaules.

Mary K. semblait sur le point de fondre
en larmes. En fait, on aurait dit qu'elle
n'avait pas cessé de pleurer depuis ce
matin.

— Morgan, a dit maman. Peut-être avons-nous eu tort de ne pas t'en parler. Mais nous avions nos raisons. Nous t'aimons et nous sommes toujours tes parents.

En entendant cela, j'ai perdu contenance.

— Vos raisons ? Vous aviez de bonnes raisons de ne pas me révéler le fait le plus important de ma vie ? Il n'y a pas de bonnes raisons qui tiennent !

— Morgan, arrête, a dit Mary K. avec des trémolos dans la voix. Nous sommes une famille. Je veux seulement que tu sois ma sœur.

Puis elle s'est remise à sangloter, et j'ai senti ma gorge se serrer.

— Moi aussi je veux que tu sois ma sœur, ai-je répondu en me levant. Mais je ne sais plus trop ce qui se passe, ce qui est vrai et ce qui ne l'est pas.

Inconsolable, Mary K. se cachait le visage sur l'épaule de papa.

Maman a essayé de se rapprocher de moi, de me prendre dans ses bras, mais j'ai reculé. Je ne pouvais pas supporter qu'elle me touche à ce moment-là. Elle semblait si malheureuse.

— Je suggère qu'on ne dise plus rien pour le moment, a repris papa. Nous avons besoin de temps. Nous sommes tous sous le choc. Je t'en prie, Morgan, écoute juste une chose que j'ai à te dire : ta mère et moi avons deux filles que nous aimons plus que tout au monde. Deux filles.

— Mary K. est votre fille, ai-je dit, frustrée d'entendre sa voix se briser. Votre fille biologique. Mais moi, je ne suis personne !

— Ne dis pas ça ! a lancé maman, dévastée.

— Tu es notre fille au même titre que Mary K., a objecté papa. Et tu le seras toujours.

C'était la chose la plus réconfortante qu'il aurait pu me dire et j'ai fondu en larmes. J'étais tellement épuisée, physiquement et émotionnellement, que j'ai couru dans ma chambre, où je me suis laissée tomber sur le lit, pour aussitôt sombrer dans un sommeil de plomb.

J'étais encore somnolente lorsque maman est entrée dans ma chambre et s'est assise sur le bord du lit. Elle m'a caressé les cheveux et cela m'a rappelé mon rêve. J'avais rêvé de mon autre mère. Puis j'ai pensé que ce n'était peut-être pas un rêve, mais plutôt un souvenir.

— Maman...

— Chut, ma chérie, dors, a-t-elle murmuré. Je voulais seulement te dire que je t'aime. Je suis ta mère et tu as été ma fille à la seconde où j'ai posé les yeux sur toi.

J'ai secoué la tête pour protester que c'était faux, mais le sommeil me reprenait déjà et, avant de sombrer complètement, j'ai senti des larmes chaudes mouiller mon oreiller. J'ignore si c'étaient les larmes de maman ou les miennes.

La journée du lendemain s'est amorcée de façon si banale, que cela m'a semblé bizarre. Comme d'habitude, avant même que je sorte du lit, maman et papa ont pris leur petit-déjeuner et sont partis travailler de bonne heure. Comme d'habitude, pendant que j'étais sous la douche et que je me préparais du mieux que je pouvais à affronter la journée, Mary K. me criait de me dépêcher.

J'ai trouvé que Mary K. était pâle et plus calme qu'à l'accoutumée, lorsque j'ai pris une gorgée de soda et que j'ai glissé mes livres dans mon sac à dos.

— Je veux que tu arrêtes tout de suite, a-t-elle articulé à voix si basse que j'ai dû tendre l'oreille. Je veux que tout redevienne comme avant.

J'ai soupiré. Je n'avais jamais été jalouse de Mary K., et il n'y avait jamais été question de compétition entre nous. J'avais toujours voulu prendre soin d'elle. Je me demandais si les choses seraient différentes désormais. Je n'en avais pas la moindre idée. Mais je détestais toujours autant la voir souffrir.

— Il est trop tard pour faire marche arrière, ai-je répondu doucement. Et il faut que je sache la vérité. On m'a caché trop de choses pendant trop longtemps.

Mary K. a levé les mains, essayant visiblement de trouver quelque chose à dire. Mais il n'y avait rien à ajouter et, à la fin, nous avons pris nos sacs à dos et sommes montées dans ma voiture.

Cal m'attendait devant l'école. Il s'est approché pendant que je me garais et m'a ouvert la portière. Mary K. l'a regardé, comme pour mesurer sa part de responsabilité dans tout cela. Il a soutenu son regard calmement, amicalement.

— Je suis Cal, a-t-il dit, en lui tendant la main. Cal Blaire. Je crois qu'on n'a jamais été présentés officiellement.

— Je sais qui tu es, a répondu Mary K. en le regardant droit dans les yeux, sans toutefois lui serrer la main. Fais-tu de la sorcellerie avec Morgan?

— Mary K.! ai-je objecté, mais Cal m'a fait signe de ne pas intervenir.

— Ça va, a-t-il dit. Oui, je fais de la sorcellerie avec Morgan. Mais nous ne faisons rien de mal.

— Mal pour qui? a rétorqué Mary K., qui faisait soudain plus que ses 14 ans.

Lorsque ses amis l'ont entourée comme ils avaient l'habitude de le faire, elle m'a semblée malheureuse et inaccessible. Je me demandais ce qu'elle allait leur raconter.

Puis, Bakker Blackburn, son petit ami, s'est pointé et ils sont partis ensemble.

— Comment vas-tu? a demandé Cal en m'embrassant sur le front. J'ai pensé à toi. J'ai téléphoné hier soir, mais ta mère m'a dit que tu dormais.

Alessandra, Nell et Justin nous regardaient curieusement. Bien sûr, ils étaient surpris de voir Cal Blaire, ce dieu incarné, avec Morgan Rowlands, celle, parmi toutes les filles du collège, qui avait le moins de chance de sortir avec un garçon.

— Oui. Je crois que mon cerveau avait arrêté de fonctionner. Merci d'avoir appelé. Je te raconterai tout plus tard.

Il m'a pressé l'épaule et nous sommes allés rejoindre les autres – nous formions un cercle maintenant, et non seulement une bande de copains – près des bancs en ciment. Apparemment immuable, la bâtisse de briques rouges avait quelque chose de rassurant mais, pour dire la vérité, c'était bien la seule chose qui n'avait pas changé dans ma vie, depuis hier.

Sept paires d'yeux s'étaient tournées vers nous tandis que nous avancions sur le sentier de gravier. Je cherchais le regard de Bree, mais elle examinait soigneusement le bout de ses bottes en suède. Elle était belle et lointaine, décontractée et distante. Deux semaines auparavant, Bree était ma meilleure amie, la personne que j'aimais le plus après ma famille, celle qui me connaissait le mieux.

Je me faisais quand même du souci pour elle, et tout en sachant que c'était impossible, j'aurais voulu pouvoir me confier à elle comme avant. Je me demandais à quelle autre copine je pourrais me confier dorénavant. Peut-être Tamara Pritchett, ou encore Janice Yutoh, mais je savais très bien que j'en serais incapable.

— Salut Morgan... Cal, a dit Jenna Ruiz, le visage toujours aussi franc et amical.

Son sourire était sincère, et je le lui ai rendu. Assis à côté d'elle, Matt Adler avait passé son bras autour de ses épaules. Lorsque Jenna a toussé en se couvrant la bouche, Matt l'a regardée d'un air inquiet. Elle a secoué la tête et lui a souri.

— Salut Jenna, Salut tout le monde, ai-je dit.

Raven Meltzer me regardait d'un air méprisant. Ses yeux noirs, lourdement cerclés de kohl et de brillantine étincelaient... d'une rage contenue ! Elle avait voulu Cal pour elle, comme Bree. Comme moi.

— Samhain était génial, a lancé Sharon Goodfine, en croisant les bras sur sa volumineuse poitrine, comme pour se réchauffer. Elle avait prononcé le mot Samhain correctement. Je me sens différente, a-t-elle ajouté. Je me suis sentie différente pendant tout le week-end.

Son visage impeccable exprimait davantage la gentillesse que le snobisme.

Sans même y penser, tous mes sens étaient en alerte et je percevais les émotions des gens qui m'entouraient. C'était un peu comme l'expérience que j'avais vécue pendant notre rituel dans le cimetière, mais cette fois-ci, je contrôlais tout. Je le faisais consciemment.

Puis, presque aussitôt, je me suis dit que peut-être que les émotions de mes amis devaient rester privées, qu'elles leur appartenaient.

Jenna était telle qu'elle se montrait : ouverte, franche, une bonne nature. Pareil pour Matt, mais je sentais qu'il cachait le côté sombre de sa personnalité. Cal... Cal m'a regardée avec étonnement lorsque le filet de mes sens a touché son esprit. Tandis que je l'étudiais, j'ai senti une soudaine et puissante bouffée de désir qui émanait de lui ; j'ai rougi, et très vite j'ai pris mes distances. Il m'a regardée, comme pour dire : excuse-moi, mais c'est toi qui l'a voulu...

Ethan Sharp était intéressant : une mosaïque multicolore de pensées et de sentiments, un mélange de méfiance, de poésie et de déception, tout en retenue. Sharon dégageait une certaine rigidité, mais aussi un calme inhabituel. Je percevais chez elle une tendresse hésitante, mi-embarrassée ; pour qui donc ? Ethan ?

Beth Nielson, la meilleure amie de Raven, semblait s'ennuyer à mourir et aurait souhaité être ailleurs. Robbie Gurevitch, mon meilleur ami après Bree, dégageait pour sa part un mélange étonnant de colère, de désir et d'émotions refoulées que nul n'aurait pu soupçonner sur son visage impassible. À qui pouvait-il penser? Je n'aurais pu dire.

Par contre, ce sont Bree et Raven qui ont bien failli me faire tomber en bas de mon banc. Émanant de ces deux filles, je sentais de violentes vagues de fureur et de jalousie dirigées contre moi et, dans une moindre mesure, contre Cal. Chez Raven, je percevais des accès de colère, de frustration et d'envie irrépressible. Malgré sa réputation de fille facile, elle n'avait pas encore eu de relation sérieuse avec aucun garçon. Peut-être aurait-elle aimé que Cal soit celui-là.

Si les sentiments de Raven étaient des fils barbelés, ceux de Bree étaient des charbons ardents. J'ai immédiatement su qu'elle me détestait autant qu'elle avait pu m'aimer deux semaines plus tôt. Elle avait crevé d'envie de sortir avec Cal. Ce n'était peut-être pas vraiment de l'amour, mais c'était un désir vif et puissant, ça, j'en étais certaine. Et jamais avant aujourd'hui elle n'avait désiré un garçon qui n'avait pas voulu d'elle. Cal l'avait profondément blessée en me préférant à elle.

J'avais saisi toutes ces impressions en quelques secondes à peine. Le temps d'un battement de cœur avait suffi pour que tout ceci s'imprime en moi.

L'idée m'est venue qu'à part Cal, aucun des membres de mon cercle n'était au courant que j'avais été adoptée. Cette histoire était si incroyable, si capitale, si effrayante ; il avait suffi d'une seule journée pour que toute ma vie bascule. Mais, pour eux tous, ce dimanche avait été un dimanche comme un autre. Cette idée me laissait désorientée, étrangère à ma propre existence.

— Alors ? a demandé Bree, en brisant le silence, mais sans lever les yeux. Tes parents ont-ils apprécié leurs nouvelles lectures ?

J'ai sourcillé. Si elle avait su ce que sa vengeance avait suscité comme réactions... Mais je me suis tue et j'ai secoué ma tête en me contentant de m'asseoir pour ne pas perdre pied.

Bree souriait sous cape, sans pour autant cesser de fixer la pointe de ses bottes.

Cal m'a pris la main et je l'ai serrée fermement.

— De quoi parles-tu Bree? a demandé Robbie, enlevant ses épaisses lunettes pour mieux se frotter les yeux.

Sans ses lunettes, il était méconnaissable. La potion que j'avais concoctée pour lui deux semaines plus tôt avait donné des résultats qui avaient dépassé de loin mes espérances. Sa peau, autrefois rongée par l'acné et les cicatrices, était maintenant lisse et soyeuse. Son nez, auparavant enflé et rouge, était maintenant droit et fin. Même ses lèvres semblaient plus fermes, plus attirantes.

— Rien, a répondu Bree à voix basse. C'est sans importance.

Non, ai-je pensé, tu as seulement détruit ma vie.

— Si tu le dis, a murmuré Robbie, se frottant les yeux de plus belle. Bon sang! quelqu'un a des cachets? J'ai un mal de tête!

— J'en ai, a répondu Sharon en fouillant dans son sac à main.

— Toujours prête, a lancé Ethan en souriant. Comme un scout.

Sharon l'a fusillé des yeux puis a donné deux cachets à Robbie, qu'il a avalé à sec.

Notre cercle comptait toute une brochette de jeunes gens fort différents : des surdoués, des cancres, des fumeurs d'herbe, des princesses, des gagnants et des perdants. C'était intéressant de voir comment des individus aussi différents les uns des autres pouvaient communiquer entre eux.

— Je me suis bien amusé samedi soir, a dit Cal au bout d'un moment. Je suis content que vous soyez venus. C'était une belle façon de célébrer la plus importante fête wiccane.

— C'était tellement cool, a renchéri Jenna. Et Morgan était épatante !

Embarrassée, je regardais mes genoux avec un petit sourire timide.

— C'était vraiment super, a dit Matt à son tour. J'ai passé presque toute la journée d'hier sur Internet à chercher des sites sur la Wicca. Il y en a des millions, dont certains étaient vraiment intense.

Jenna s'est mise à rire.

— Il y en a aussi des complètement nuls. Il y a des gens très bizarres là-dedans ! Et on y entend la musique la plus démodée…

— J'aime bien ceux où on peut clavarder, a dit Ethan. Si tu tombes sur un site où les gens savent de quoi ils parlent, ça peut devenir passionnant. On y propose parfois des formules magiques et des trucs à télécharger.

— On parle beaucoup de Yule, qui aura lieu dans deux mois, a ajouté Sharon.

— On pourrait peut-être organiser une fête pour Yule, ai-je suggéré à mon tour.

Sur ces mots, j'ai surpris les regards que Raven et Bree me lançaient : des regards supérieurs, méprisants, comme si j'étais une petite sœur insupportable plutôt que l'élève la plus douée de notre cercle. Je me suis tue, et à cette seconde, j'ai vu une feuille d'érable froissée se détacher lentement d'une branche. Je l'ai attrapée en pensée et l'ai envoyée flotter au-dessus de la tête de Raven. J'ai continué de la fixer, la maintenant en place tandis qu'elle planait au-dessus de ses cheveux noirs et brillants, pour ensuite la laisser se poser délicatement sur sa tête, où elle s'est transformée en chapeau ridicule et risible.

Fière du tour que je venais de lui jouer, j'ai éclaté de rire et Raven a plissé les yeux sans rien y comprendre. Elle n'avait rien senti et la feuille ressemblait maintenant à une grosse crêpe brune et plate. C'était complètement absurde.

Puis Jenna l'a aperçue, et tout le cercle, sauf Cal, a éclaté de rire en voyant Raven ainsi attifée.

— Quoi? a-t-elle demandé. Qu'est-ce que vous avez à me regarder comme ça?

Bree elle-même n'a pas pu s'empêcher d'esquisser un sourire en repoussant la feuille du revers de la main.

— Ce n'était qu'une feuille morte.

Énervée, Raven a attrapé son sac à dos juste au moment où la cloche sonnait l'heure de la rentrée.

Nous nous sommes tous levés en même temps. Je souriais encore lorsque Cal s'est penché vers moi et m'a murmuré à l'oreille :

— Rappelle-toi la triple règle.

Puis il m'a effleuré la joue du bout des doigts et s'est dirigé vers l'entrée secondaire pour se rendre dans sa classe.

J'ai ravalé ma salive. La triple règle wiccane est un des grands principes de la sorcellerie. En gros, elle décrète que tout ce que tu fais aux autres, en bien ou en mal, te sera remis en triple ; alors, mieux vaut faire le bien et ne blesser personne. Cal me disait ainsi : d'abord, qu'il savait que j'avais dirigé la chute de la feuille, puis, qu'il savait que je l'avais fait par méchanceté. D'accord, ce n'était pas par gentillesse.

Prenant une profonde respiration, j'ai attrapé la courroie de mon sac à dos et l'ai hissé sur mon épaule.

Aussitôt que Cal a été hors de portée de voix, Raven a dit méchamment :

— OK, il est à toi... pour le moment. Mais, combien de temps crois-tu que ça va durer ?

— Ouais! a marmonné Bree. Attends qu'il découvre que tu es vierge. Il va se bidonner.

Mes joues se sont empourprées. Je revoyais sa main sous mon chandail la veille au matin, et mon mouvement de recul.

Raven a haussé les sourcils :

— Ne me dis pas qu'elle est vierge!

— Oh, Raven, laisse tomber, a dit Beth en passant à côté d'elle.

Raven l'a regardée, surprise, pendant une seconde puis elle a reporté son attention sur moi.

Bree et Raven ont éclaté de rire, et j'ai regardé Bree, incrédule. Comment pouvait-elle révéler un détail aussi personnel à mon sujet? Incapable de parler, j'ai continué à marcher jusqu'à la salle de cours, un cours que je prenais avec Bree, évidemment.

— Tu parles, a dit Bree à Raven, qui lui avait emboîté le pas. Si tu prends la peine de la regarder, tu comprends immédiatement que ce n'est pas pour *ça* qu'il veut d'elle.

Je n'en croyais pas mes oreilles. Bree m'avait toujours reproché d'être trop négative en ce qui avait trait à mon apparence, insistant pour dire que ça n'avait pas d'importance que je n'aie pas de seins, et pendant des années, elle avait tout fait pour que je me trouve enfin attrayante. Elle s'était maintenant totalement retournée contre moi.

— Tu sais ce que c'est… a répliqué Raven en se moquant. Cal l'a vue, et au premier coup d'œil, il a su qu'elle était une sorcière.

Se doutaient-elles que j'étais prête à les égorger toutes les deux?

J'ai accéléré le pas, mais j'entendais les échos de leurs rires derrière mon dos. *Les salopes*, ai-je pensé. Une fois dans la salle de cours, je suis restée assise en silence un bon 10 minutes, essayant de calmer ma respiration, essayant de réfréner ma colère.

Pendant un court moment, je me suis félicitée d'avoir été méchante envers Raven. J'aurais dû l'être 10 fois plus. Je n'y pouvais rien, j'aurais souhaité faire disparaître Bree et Raven pour de bon. Je voulais qu'elles soient malheureuses.

6

La recherche

9 janvier 1980

Ils ont trouvé le corps de Morag Sheehan, la nuit dernière. Au creux de la falaise, près de la ferme du vieux Johnson. La marée l'aurait emportée et personne ne l'aurait jamais retrouvée ; mais la marée était basse à cause de la lune. C'est le jeune Billy Martin, en compagnie de Hugh Beecham, qui a découvert son corps. De prime abord, ils ont cru que c'étaient les restes pourris et brûlés d'une embarcation. Mais il n'en était rien : c'était une sorcière carbonisée...

Bien sûr, Belwicket s'est rassemblé avant l'aurore. Nous avons accroché des couvertures aux volets intérieurs et nous nous sommes regroupés autour de la table de cuisine de mes parents. Pour tout dire, maman et moi avions entouré Morag d'une puissante protection l'année dernière, et depuis, il ne lui était rien arrivé de fâcheux. Tout était dans l'ordre des choses.

— Tu sais ce que ça signifie, a dit Paddy McTavish. Aucun humain n'aurait pu s'approcher d'elle, pas avec ce sort que vous lui aviez jeté et tous ces charmes qu'elle accomplissait elle-même pour éloigner le mal.

— Qu'est-ce que tu racontes ? a demandé Ma.

— Je dis qu'elle a été tuée par une sorcière, a répondu Paddy.

C'était l'évidence même. Morag avait été tuée par une sorcière. L'une d'entre nous ? Certainement pas. Alors, quelqu'un dans le voisinage ? Quelqu'un que nous ne connaissions pas ? Un membre d'un autre cercle ?

La pensée qu'un être aussi abject puisse exister me donne froid dans le dos.

À notre prochaine assemblée, nous allons faire de la divination. D'ici là, je garderai l'œil ouvert sur tout le monde et sur tout ce qui se passe.

— Bradhadair.

C'est seulement à la fin des classes que j'ai eu l'occasion de parler à Cal de mes recherches. Il m'a raccompagnée à ma voiture et nous sommes restés debout, à discuter.

— J'ai découvert qui était Maeve Riordan, ai-je lancé d'entrée de jeu. À tout le moins en partie.

— Ça m'intéresse, a-t-il dit, tout en consultant sa montre.

— Tu dois y aller ?

— Dans une minute, a-t-il répondu, l'air désolé. Ma mère m'a demandé de l'aider cet après-midi. Un des membres de son cercle est malade, et nous allons procéder à un rituel de guérison.

— Tu sais comment t'y prendre ?

Chaque jour, j'en apprenais un peu plus sur les possibilités de la magye.

— Bien sûr. Je ne prétends pas que nous allons le guérir pour de bon, mais il ira beaucoup mieux que si nous ne faisons rien pour lui. Mais raconte-moi plutôt ce que tu as découvert.

— J'ai fait une recherche par ordinateur et je me suis heurtée à de nombreux culs-de-sac. Mais j'ai fini par trouver son nom sur un site généalogique, ce qui m'a menée vers un petit article du *Meshomah*

Falls Herald. J'ai donc consulté l'article en question à la bibliothèque.

— C'est où Meshomah Falls?

— À deux heures d'ici. De toute façon, l'article disait qu'un corps carbonisé avait été identifié comme étant celui de Maeve Riordan, originaire de Ballynigel, en Irlande. Elle avait 23 ans.

Cal a froncé les sourcils.

— Tu crois que c'est elle?

J'ai fait signe que oui.

— Je pense que ça pourrait être elle. En fait, il y avait d'autres Maeve Riordan, mais celle-ci vivait près d'ici, et les dates concordent… j'avais environ sept mois lorsqu'elle est morte.

— L'article mentionnait-il un bébé?

J'ai fait signe que non et Cal m'a caressé les cheveux.

— Euh, je me demande si on pourrait trouver plus d'informations ailleurs. Je vais y réfléchir. Est-ce que ça va aller? Je ne veux pas partir, mais je n'ai pas vraiment le choix.

— Je vais bien, ai-je dit, en le regardant et en me délectant du fait qu'il se soucie de mon sort.

Et ce n'était pas seulement parce que j'étais une sorcière de sang comme lui. Raven et Bree était jalouses... elles ne savaient pas de quoi elles parlaient.

Nous nous sommes embrassés tendrement, puis Cal est monté dans sa voiture et je l'ai regardé partir.

Du coin de l'œil, j'ai perçu un mouvement de côté. Puis, m'étant retournée, j'ai vu que Janice montait dans la voiture de Tamara. Elles m'ont souri, puis ont fait des mimiques suggestives. Tamara a levé le pouce en guise d'approbation. Un peu gênée, mais ravie, je leur ai rendu leur sourire. En les voyant s'éloigner, je me suis dit que nous devrions aller au cinéma toutes les trois, un de ces jours.

— Tu sèches le club d'échecs? a demandé Robbie.

Il s'était approché par derrière et je ne l'avais pas vu venir. Ses cheveux en bataille, qui encore le mois dernier étaient sans charme, lui donnaient maintenant un petit air canaille irrésistible.

— Oui, ai-je répondu, je sèche. Je ne sais pas pourquoi, mais les échecs me semblent sans intérêt en ce moment.

— Pas les échecs en soi, a dit Robbie, dont le regard bleu-gris était soudain devenu sérieux derrière ses affreuses lunettes. Les échecs sont toujours aussi excitants, beaux et purs comme le cristal.

Je cherchais une réplique digne de ses divagations extravagantes sur les échecs. Robbie est pour ainsi dire amoureux de ce jeu. Mais il a continué sur sa lancée :

— C'est plutôt le club qui est sans intérêt en ce moment. L'école... Lorsque tu as vu une de tes amies faire s'épanouir une fleur, l'école, les clubs et tout le tralala te paraissent un peu... fades.

Je me sentais à la fois fière et embarrassée. J'aimais penser que j'étais douée, que mon héritage se voyait dans mes habiletés. Mais j'étais aussi tellement habituée à me fondre dans le décor, à ne pas faire de vagues, à me tenir dans l'ombre de Bree sans jamais me plaindre, que j'avais du mal à m'habituer à ce genre de reconnaissance.

— Est-ce que tu rentres à la maison? a demandé Robbie.

— Je ne sais pas. Je n'en ai pas vraiment envie, ai-je répondu.

En fait, j'avais un nœud dans le ventre à la pensée de revoir mes parents. Puis, j'ai eu une meilleure idée.

— Hé! ça te dirait d'aller à la boutique Magye pratique?

En lançant cette invitation, j'ai ressenti un mélange de plaisir et de culpabilité. Ma mère n'approuverait certainement pas que je retourne dans cette boutique wiccane. Et alors? Ce n'était pas mon problème.

— Génial, a répondu Robbie. Ensuite, on ira manger une crème glacée. Laisse ta voiture ici; je te ramènerai plus tard.

— On y va.

En traversant la rue pour monter dans la voiture de Robbie, j'ai aperçu la crinière auburn de Mary K. Elle était avec Bakker, appuyée au mur du pavillon des sciences de la vie. Ça me faisait tout drôle de voir ma petite sœur de 14 ans sortir avec un garçon. J'ai pincé le bras de Robbie quand il a murmuré :

— Allez, Bakker.

Je ne pouvais m'arrêter de les regarder tandis que nous approchions de la voiture rouge foncée de Robbie. Mary K. se tortillait en ricanant pour échapper à Bakker. Mais il l'a rattrapée aussitôt.

— Bakker ! lançait Mary K. en minaudant.

— Mary K. ! ai-je crié sans trop savoir pourquoi.

Elle a levé les yeux, toujours retenue par Bakker.

— Hé !

— Je vais faire un tour avec Robbie, ai-je dit en montrant mon ami.

Elle a fait un mouvement de tête puis, s'adressant à Bakker :

— Tu peux me raccompagner ?

— Tout ce que tu voudras, a répondu le garçon en lui chatouillant la nuque.

Soudain mal à l'aise, je suis montée dans la voiture de Robbie et j'ai essayé de ne plus y penser.

* * *

Le trajet jusqu'à Red Kill était d'à peine
20 minutes. À côté de Das Boot, la petite
VW Beetle de Robbie était minuscule et
intime. Robbie louchait et se frottait les
yeux sans arrêt.

— Tu te frottes souvent les yeux depuis
quelque temps, ai-je dit.

— Mes yeux me font terriblement souffrir. J'ai besoin de nouvelles lunettes. Ma
mère a pris rendez-vous : je vais chez l'oculiste demain.

— Bien.

— De quoi Bree parlait-elle ce matin,
par rapport aux lectures de tes parents ?
a-t-il demandé pour changer de sujet.

J'ai soupiré en faisant la grimace.

— Eh bien! Bree est furieuse contre
moi, ai-je commencé pour confirmer ce qui
crevait les yeux. C'est à cause de Cal, évidemment; elle voulait sortir avec lui, mais
il voulait sortir avec moi. Maintenant, elle
me hait. Bon, tu sais que j'avais laissé mes
livres sur la Wicca chez elle?

Robbie a fait signe que oui sans quitter
la route des yeux.

— Eh bien, hier matin, elle les a déposés sur le seuil de notre porte. Ma mère a piqué une crise. Ça a foutu le bordel chez nous, ai-je résumé rapidement.

— Oh, a fait Robbie.

— Ouais.

— Je savais que Bree aimait bien Cal, mais je n'ai jamais cru qu'ils pourraient former un couple bien assorti.

Je lui ai souri.

— Bree formerait un beau couple avec n'importe qui. Mais n'en parlons plus. Tout cela a été assez… horrible. La seule bonne chose, c'est que Cal et moi nous sommes trouvés, et ça, c'est merveilleux.

— Hum, a fait Robbie en me lançant un curieux regard.

— Hum, quoi? ai-je demandé. Veux-tu dire, hum! c'est super, ou hum, je n'en suis pas sûr?

— Ce serait davantage… hum, c'est compliqué, a fait Robbie. Tu sais, à cause de Bree et tout le reste.

Je le regardais fixement, mais il regardait la route et son profil ne laissait rien entrevoir de ses pensées.

Je me suis concentrée sur le paysage, mais je voulais lui parler d'un sujet que nous n'avions pas vraiment abordé.

— Robbie, je suis vraiment désolée pour le sort que je t'ai jeté. Tu sais : la potion pour ta peau.

Il se taisait.

— Je ne le ferai plus jamais.

Je lui avais déjà fait cette promesse.

— Ne dis pas ça. Promets seulement de ne plus le faire sans m'en parler, a-t-il ajouté en garant sa Beetle dans un espace pas plus grand qu'un mouchoir.

Puis, se tournant vers moi, il a poursuivi :

— J'étais fâché que tu l'aies fait sans m'en parler. Mais, bon sang! regarde-moi, a-t-il ajouté en montrant son visage lisse. Je n'avais jamais espéré avoir un teint aussi clair. Je pensais que j'aurais le visage comme une pizza jusqu'à la fin de mes jours. Maintenant, lorsque je me regarde dans le miroir, je suis content. Les filles me regardent; des filles qui m'avaient toujours ignoré jusqu'ici, ou qui me plaignaient.

Comment pourrais-je être fâché? a-t-il conclu en haussant les épaules.

— Merci, ai-je dit en lui touchant le bras.

Il m'a fait un grand sourire et a ouvert la portière.

— Allons à la rencontre de notre magye intérieure.

Comme d'habitude, la boutique était mal éclairée et embaumait les herbes et l'encens. Succédant au soleil froid de novembre, l'atmosphère y était tiède et accueillante. L'intérieur était divisé en deux : une première moitié composée d'étagères remplies de livres, s'élevant du plancher jusqu'au plafond, et une seconde moitié meublée de présentoirs débordant de chandelles, d'herbes, d'huiles essentielles, d'articles d'autel, de symboles de magie, de poignards destinés aux rituels, appelés athamés, de tuniques, d'affiches, etc. On y trouvait même des aimants à mettre sur les frigos.

Abandonnant Robbie dans la section des livres, je me suis dirigée tout droit vers celle des herbes. *Je n'aurai jamais assez d'une vie pour apprendre à utiliser toutes ces herbes,* ai-je songé. C'était une idée décourageante et excitante à la fois. J'avais utilisé des herbes pour concocter la potion qui avait guéri l'acné de Robbie, et je m'étais sentie transportée dans le jardin d'herbes de l'abbaye de Killburn lorsque j'y avais fait une visite avec les gens de mon église.

Je feuilletais un guide sur les plantes magyques du nord-est, lorsqu'une sensation de picotement m'a alertée. Levant les yeux, j'ai vu David, un des commis de la boutique. Je me suis raidie, car sans que je puisse m'expliquer pourquoi, cet homme me donnait la chair de poule.

La première fois, il m'avait demandé à quel clan j'appartenais, puis il avait dit à Alyce, l'autre caissière, que j'étais une sorcière qui prétendait ne pas en être une.

À présent, je le regardais s'avancer vers moi avec méfiance. Ses cheveux gris et courts s'animaient de reflets argentés sous la lumière fluorescente du magasin.

— Il y a quelque chose de changé chez toi, a-t-il avancé de sa voix douce en me fixant de ses yeux bruns.

J'ai pensé à Samhain, le soir où la nuit avait explosé autour de moi ; et à dimanche dernier, le jour où ma famille avait éclaté, mais je n'ai rien dit.

— Tu es une sorcière de sang, a-t-il affirmé, faisant signe que oui, comme pour confirmer quelque chose que j'aurais dit. Et maintenant, tu le sais.

Comment peut-il le savoir ? me suis-je demandé avec une pointe de peur.

— Est-ce que cela t'a vraiment étonnée ?

Je cherchais Robbie des yeux, mais il était toujours dans le rayon des livres.

— Oui, j'étais plutôt surprise, ai-je fini par admettre.

— Est-ce que tu as ton LDO, ton Livre des ombres ?

— J'en ai commencé un, ai-je répondu en revoyant le beau livre tout neuf aux pages marbrées, que j'avais acheté quelques semaines plus tôt.

J'y avais inscrit le sortilège que j'avais exécuté pour Robbie, ainsi que mes expériences lors de la soirée de Samhain. Mais pourquoi David voulait-il savoir cela ?

— Connais-tu le nom de ton clan, de ton cercle ? Celui de ta mère ?

— Non, ai-je dit. Je n'en ai aucune idée.

— Je suis désolé, a-t-il repris au bout d'un moment.

Puis une cloche a tinté et il est reparti, car il devait aider un autre client à choisir des bijoux.

Jetant un coup d'œil autour de moi, j'ai aperçu Alyce, l'autre caissière, au bout d'une allée, en train de disposer des chandeliers sur une table basse. Plus âgée que David, elle était ronde, avec un air maternel. Ses beaux cheveux gris étaient retenus en chignon derrière sa tête. Elle m'avait plu dès l'instant où je l'avais vue pour la première fois. Emportant mon livre sur les herbes médicinales, je me suis approchée d'elle. Elle a levé les yeux et m'a gratifiée d'un sourire de bienvenue, comme si elle s'était attendue à me voir.

— Comment vas-tu ma belle enfant ?

Ses mots en disaient bien plus qu'on aurait pu le croire et, l'espace d'un instant, j'ai eu l'impression qu'elle savait tout ce qui était arrivé depuis qu'elle m'avait aidée à choisir une chandelle, une semaine avant Samhain.

— Mal, ai-je lâché. J'ai découvert que je suis une sorcière de sang. Mes parents m'ont menti toute ma vie.

Alyce avait hoché la tête comme pour dire qu'elle savait.

— Donc, David avait raison. Et j'étais du même avis.

— Comment avez-vous deviné ?

— Nous pouvons reconnaître les sorcières, parce que nous en sommes nous-mêmes, bien que nous ne sachions pas à quel clan nous appartenons.

Je la fixais intensément.

— David est particulièrement puissant, a poursuivi Alyce, tout en alignant les chandeliers sur l'étagère d'après leur forme : étoiles, lunes, pentacles.

— Faites-vous partie d'un cercle ? ai-je demandé à voix basse.

— Oui, le Starlocket, avec Selene Belltower, a répondu Alyce.

La mère de Cal…

À quelques mètres de nous, j'ai vu Robbie qui conversait avec une jeune femme qui lui souriait en flirtant. Il a enlevé ses lunettes, s'est frotté les yeux, puis lui a donné la réplique. Elle a ri et de nouveau, ils ont disparu derrière les piles de livres. J'entendais les murmures de leurs voix. Soudain curieuse, j'ai eu envie de me concentrer pour entendre leur conversation, puis je me suis dit que ce n'était pas parce que j'en étais capable que j'en avais le droit.

Aussitôt après, une idée m'est venue :

— Alyce, connaissez-vous un endroit appelé Meshomah Falls ?

On aurait dit qu'elle venait d'être mordue par un serpent. Sa réaction m'a étonnée, car elle a eu un mouvement de recul et j'ai vu l'angoisse s'inscrire sur son beau visage rond. Elle s'est redressée avec mille précautions, comme si une force hors du commun avait menacé de lui faire perdre pied. Puis, me regardant droit dans les yeux, elle a demandé :

— Pourquoi poses-tu cette question ?

— J'aurais voulu en apprendre davantage sur... une femme appelée Maeve Riordan. Il faut que j'en aie le cœur net.

Pendant un instant qui m'a paru très long, Alyce a soutenu mon regard.

— Je connais ce nom, a-t-elle fini par dire.

7

Brûlée vive

8 mai 1980

Angus m'a demandé de l'épouser le jour de Beltane. J'ai dit non. J'ai seulement dix-huit ans et je ne suis presque jamais sortie de Ballynigel. Vois-tu, je songeais à faire un de ces voyages organisés : prendre un mois pour faire le tour de l'Europe en autocar. J'aime Angus. Et je sais que c'est quelqu'un de bien. Il pourrait même être mon *mùirn beatha dàn*, mon âme sœur, mais qui sait ? Peut-être pas ! J'ai parfois l'impression que c'est lui ; d'autres fois je sens que non. Et puis, comment pourrais-je le savoir ? J'ai connu quelques sorciers importants dans ma vie, avec lesquels je n'ai aucun lien de parenté. Il faut que j'en aie la certitude. J'ai besoin d'en savoir davantage avant de prendre la décision de vivre avec lui jusqu'à la fin de mes jours.

— *Où veux-tu aller ? m'a-t-il demandé. Avec qui ? Quelqu'un qui n'est pas de ta race, comme David O'Hearn ? Un humain ?*

Bien sûr que non. Si je veux des enfants, ce n'est pas possible avec un humain. Mais, peut-être que je n'en veux pas. Je ne sais pas. Notre clan n'est pas tellement nombreux. Et ce serait déloyal de choisir quelqu'un d'un autre clan. Mais cela me semble tout aussi déloyal de sceller mon destin à dix-huit ans ; déloyal envers moi.

Et, après tout ce qui est arrivé — le meurtre de Morag, les sortilèges de malheur, les runes enchantées (Mathair les appelle « sigils ») que nous avons découvertes — je ne sais vraiment plus où j'en suis. Je veux partir. Plus que trois semaines, et je passerai mon niveau A ; j'en aurai terminé avec l'école. J'ai trop hâte.

Il se fait tard et je dois accomplir un rituel de prévoyance avant de m'endormir, afin de repousser le Malin. Nous faisons tous cela, par les temps qui courent.

— *Bradhadair*

J'ai attendu qu'Alyce reprenne ses esprits. J'ai vu un banc multicolore à côté de moi et je m'y suis perchée, les yeux toujours fixés dans ceux d'Alyce.

— Je n'ai pas connu Maeve Riordan, a-t-elle fini par dire. Je ne l'ai jamais rencontrée. Je vivais à Manhattan quand ce drame a eu lieu. C'est seulement des années plus tard que j'en ai entendu parler, quand j'ai déménagé dans la région. Mais cela a fait grand bruit dans la communauté wiccane, et la plupart des sorcières d'ici sont au courant de cette histoire.

Je trouvais choquant que tant de gens soient au courant du sort qui avait été réservé à ma mère, alors que je n'en savais strictement rien. Je me suis tue, de peur d'empêcher Alyce de se souvenir.

— Voici comment cette histoire m'a été contée, a repris Alyce, dont la voix m'a paru lointaine. Maeve Riordan était une sorcière de sang appartenant à l'un des Sept grands clans. Son cercle s'appelait Belwicket, et elle était de Ballynigel, en Irlande.

J'ai hoché la tête. J'avais lu les mots Belwicket et Ballynigel sur le site généalogique de Maeve, celui qui avait été fermé.

— Belwicket était une communauté insulaire. Leur clan n'avait pas beaucoup de rapports avec les autres clans, ni avec les autres cercles, a poursuivi Alyce. Ils étaient très secrets, et ce n'était sûrement pas sans raison. De toute façon, à la fin des années 70, au début des années 80, si j'ai bien compris, Belwicket a été persécuté. Ses membres étaient pointés du doigt dans la rue par les habitants de la ville ; leurs enfants étaient ostracisés à l'école. Ballynigel était une petite ville, proche de la côte ouest de l'Irlande, où vivaient surtout des agriculteurs et des pêcheurs. Des gens pas très expérimentés, pas tellement instruits. Et très conservateurs.

Alyce s'est tue, pensive.

Dans ma tête, je voyais des collines à perte de vue, vertes comme le péridot. L'air salin me caressait la peau. L'odeur persistante des algues, du poisson, me chatouillait les narines ; mon cerveau détectait également la senteur désagréable, quoique rassurante, de la tourbe ou de la terre humide.

— Il est probable que les citadins aient toujours vécu en paix parmi les sorciers mais, pour une raison ou une autre, il arrivait de temps en temps qu'un conflit éclate ; alors, les gens se mettaient à avoir peur. Après plusieurs mois de persécution, une sorcière de la région a été assassinée, brûlée à mort et jetée du haut de la falaise.

J'ai dégluti difficilement. J'avais appris, au fil de mes lectures, que le feu était la méthode traditionnellement employée pour tuer les sorcières.

— Certains ont prétendu que c'était une autre sorcière, et non un humain, qui avait commis ce crime, a poursuivi Alyce.

— Et qui était Maeve Riordan ?

— C'était la fille d'une grande prêtresse de la région, une certaine Mackenna Riordan. À 14 ans, Maeve avait joint le cercle Belwicket et avait pris le nom de Bradhadair : l'enflammeuse. On a dit qu'elle était très puissante, très très puissante.

Ma mère.

— Quoi qu'il en soit, à Ballynigel, la situation était devenue de plus en plus intenable pour les sorciers. Ils étaient obligés de faire leurs courses dans d'autres villes des environs ; on refusait de renouveler leurs baux lorsqu'ils arrivaient à expiration, mais ils ont quand même réussi à s'en sortir.

— Pourquoi ne sont-ils pas partis ?

— Ballynigel était un lieu de pouvoir. À tout le moins pour ce cercle. Cette région était spéciale, peut-être tout simplement parce que cela faisait des siècles qu'on y pratiquait la magye ; pour une sorcière, c'était un endroit où il faisait bon vivre. La majorité des membres du cercle étaient originaires de cet endroit depuis plus de générations qu'ils n'en pouvaient compter. Leur peuple avait toujours occupé ce territoire. Je devine que cela était difficile de se décider à aller vivre ailleurs.

Pour un Américain dont la famille était installée dans le pays depuis seulement quelques siècles, c'était difficile à comprendre. J'ai pris une longue inspiration et j'ai cherché Robbie du regard. Je l'entendais parler dans le fond du magasin. J'ai regardé ma montre : 17 h 30. Il fallait que je rentre. Mais j'avais enfin trouvé quelqu'un qui me parlait de mon passé, de mon histoire, et je n'arrivais pas à me décider à partir.

— Comment avez-vous appris tout cela? ai-je demandé.

— Cette histoire a alimenté beaucoup de conversations au fil du temps, a répondu Alyce. Vois-tu, cela pourrait fort bien arriver à l'un d'entre nous.

J'ai senti un frisson me parcourir le corps. Pour moi, la magye était belle et joyeuse. Alyce me rappelait qu'un nombre incalculable de femmes et d'hommes en étaient morts. Puis, soudain très triste, elle a repris :

— Maeve Riordan a fini par s'exiler. Une nuit, leur groupe a été... décimé; je ne trouve pas de meilleur mot pour décrire la situation.

J'ai frissonné comme si un vent froid et stagnant s'était abattu sur moi.

— Le cercle Belwicket a été pour ainsi dire détruit, a poursuivi Alyce, qui avait maintenant du mal à parler. Les circonstances sont nébuleuses; on ne sait pas trop si c'est à cause des habitants du village ou à cause d'une source magyque puissante qui a balayé le cercle mais, cette nuit-là, les maisons ont été incendiées jusqu'à la dernière ; les voitures ont été brûlées ; dans les champs, les récoltes ont été piétinées et complètement détruites ; les bateaux ont coulé à pic, et... 23 hommes, femmes et enfants ont été assassinés.

Je respirais à grand peine et j'avais l'estomac noué. J'avais la nausée, j'étais étourdie, prise de panique. Je ne supportais pas d'entendre de telles atrocités.

— Mais pas Maeve, a murmuré Alyce, les yeux dans le vague. Maeve s'est sauvée ce soir-là, ainsi que le jeune Angus Bramson, son amant. Maeve avait 20 ans et Angus 22 ; ils ont fui ensemble, ont pris un bus jusqu'à Dublin, puis un avion en direction de l'Angleterre. De là, ils se sont embarqués pour New York et se sont retrouvés à Meshomah Falls.

— Est-ce qu'ils se sont mariés ? ai-je demandé d'une voix rauque.

— On n'a pas retrouvé de documents, a répondu Alyce. Ils se sont établis à Meshomah Falls. Ils se sont trouvé un emploi et ont renoncé complètement à la sorcellerie. Apparemment, deux années durant, ils n'ont pas pratiqué la Wicca, n'ont fait appel à aucun pouvoir magyque et n'ont accompli aucun rituel.

Alyce a secoué la tête, l'air désolée.

— Ce devait être comme de vivre dans une camisole de force. Comme d'étouffer dans une boîte. Puis, Maeve a accouché à l'hôpital de la région. On croit que la persécution a commencé aussitôt après son accouchement.

J'avais la gorge complètement nouée et je tirais sur le col de mon chandail parce que j'avais l'impression d'étouffer.

— Au début, c'étaient des petites choses, comme la découverte de runes de danger et des menaces peintes sur le côté de leur maisonnette. Des mauvais sigils, des runes contenant des maléfices, griffonnés sur les portières de leur voiture. Un jour, ils ont trouvé un chat mort suspendu sur leur porche. S'ils avaient fait appel au cercle de la région, on aurait pu leur venir en aide. Mais ils ne voulaient plus entendre parler de sorcellerie. Après la destruction du cercle Belwicket, Maeve ne voulait plus en entendre parler. Mais, bien sûr, elle avait cela dans le sang. C'est impossible de nier ce que tu es. Absolument impossible.

J'étais terrifiée, mais Alyce a poursuivi sans me lâcher des yeux.

— On a retrouvé le Livre des ombres de Maeve après l'incendie. Les gens l'ont lu et ont divulgué tous ses secrets.

— Où est-il maintenant ? ai-je voulu savoir, mais Alyce tournait la tête de gauche à droite.

— Je l'ignore, a-t-elle répondu doucement. L'histoire de Maeve prend fin avec elle et Angus, brûlés vifs dans une grange.

De grosses larmes coulaient le long de mes joues, lourdes et lentes.

— Qu'est-il arrivé au bébé ? ai-je demandé en étouffant un sanglot.

Alyce m'a regardée d'un air compatissant. Des années de sagesse se lisaient sur son visage. Levant une main qui sentait bon la fleur, elle m'a effleuré la joue du bout des doigts.

— Cela non plus je ne le sais pas, ma petite chérie, a-t-elle répondu si bas, que j'ai eu du mal à entendre sa réponse.

— Qu'a-t-il pu arriver au bébé?

Le regard brouillé par les larmes, je sentais le besoin de m'étendre, de me laisser tomber ou de courir dans la rue en hurlant.

— Hé, Morgan! a lancé Robbie. Es-tu prête? Il faut que je rentre.

— Adieu, ai-je murmuré, avant de me retourner et de courir vers la sortie.

Robbie m'a emboîté le pas, et tous mes sens me disaient qu'il se faisait du souci pour moi.

Dans mon dos, j'ai senti plus que je n'ai entendu les derniers mots d'Alyce :

— Pas adieu, ma chérie : tu reviendras.

8

La colère

1ᵉʳ novembre 1980

Quel extraordinaire Samhain nous avons fêté hier soir ! Après un cercle puissant que Ma m'avait laissée diriger, nous avons dansé, joué de la musique, regardé les étoiles et souhaité que le meilleur soit à venir. Ce fut une soirée riche de rires, et d'espoir, où le cidre coulait à flot. Tout était si tranquille ces derniers temps. Le Malin nous aurait-il quittés ? Aurait-il trouvé une autre demeure ? Déesse, j'espère que non, car je ne souhaite à personne de souffrir autant que j'ai souffert. Mais je suis reconnaissante de ne plus avoir à sursauter au moindre bruit.

Angus m'a donné un adorable chaton : une minuscule boule de poils que j'ai surnommée Dagda. Avec un tel nom, il aura une belle vie ! Il est si mignon et si doux. Je l'aime, et c'était bien le genre d'Angus de penser à cela. Aujourd'hui, mon univers est béni et paisible.

Louée sois-tu, Déesse, de me laisser vivre une autre année.

Louée soit la Terre mère, pour sa générosité, ici et ailleurs.

Louée soit la magye, source de toutes les bénédictions.

Loué soit mon cœur; je lui serai fidèle tant qu'il battra.

Soyez bénis.

— Bradhadair

Maintenant, Dagda me demande la porte!

— Qu'est-ce qui ne va pas? m'a demandé Robbie dans la voiture.

Je reniflais et m'essuyais le visage du plat de la main.

— Oh! Alyce m'a raconté une histoire triste à propos de sorcières mortes assassinées.

— Et tu pleures pour… a-t-il fait, en rétrécissant les yeux.

— Ça m'a émue, ai-je dit, feignant le détachement. J'ai le cœur tendre, tu sais.

— OK, ne me dis rien, a-t-il lâché, de l'irritation dans la voix, avant d'embrayer et de reprendre la route de Widow's Vale.

— C'est que… je ne peux en parler pour le moment, tu comprends, Robbie ? ai-je murmuré, suppliante.

Il s'est tu un moment, puis a hoché la tête.

— OK. Mais si tu as besoin d'une épaule, je suis là.

C'était si gentil de sa part que j'ai senti une vague de chaleur me parcourir.

— Merci. Tu me fais du bien, je te jure, ai-je dit en lui tapotant l'épaule.

L'obscurité s'installait déjà. À Widow's Vale, tous les lampadaires étaient allumés. Hantée par ce qu'avait subi ma mère biologique, j'ai été étonnée de reconnaître notre école lorsque Robbie a arrêté sa voiture et que j'ai vu la mienne, abandonnée dans la rue déserte.

— Merci de m'avoir emmenée, Robbie.

Il faisait noir, les feuilles tombaient des branches et flottaient dans l'air. L'une d'elles m'a frôlée et j'ai tressailli.

— Ça va ? s'est inquiété Robbie qui n'avait pas bougé.

— Je pense que oui. Merci encore. À demain, ai-je répondu en montant dans Das Boot.

J'avais l'impression d'avoir revécu toute l'histoire de ma mère biologique. C'était certainement la même Maeve Riordan que sur mon acte de naissance. Forcément. J'essayais de me rappeler si j'avais lu le lieu de ma naissance. Était-ce Meshomah Falls ou Widow's Vale? Impossible de m'en souvenir. Mes parents connaissaient-ils toute l'histoire? Comment m'avaient-ils trouvée? Dans quelles circonstances avais-je été adoptée? Toutes ces questions, comme autant de mystères…

Je sentais monter ma colère. Ils avaient les réponses à mes questions; il fallait qu'ils me disent la vérité. Ce soir même. Pas question de laisser passer une autre journée sans que j'en aie le cœur net.

Avant même de mettre le pied dans la maison, je me répétais les mots que je voulais prononcer, les questions que je voulais poser. Mais, en ouvrant la porte, j'ai vu tante Eileen et sa copine, Paula Steen, assises sur le canapé.

— Morgan! a lancé tante Eileen en me tendant les bras. Comment va ma nièce préférée?

Je lui ai fait la bise, pendant que Mary K. se moquait :

— Elle m'a dit exactement la même chose.

Tante Eileen a ri.

— Vous êtes toutes les deux mes nièces préférées.

J'ai souri, en faisant un effort pour changer d'humeur. Pour le moment, il n'était plus question de confrontation avec mes parents. Puis, j'ai pensé que tante Eileen était elle aussi dans le secret. Bien sûr qu'elle savait que j'avais été adoptée. C'était la sœur de ma mère. En fait, tous les amis de mes parents devaient être au courant. Ils avaient toujours vécu ici, à Widow's Vale, et à moins que ma mère n'ait simulé une grossesse, ce qui me semblait tout à fait impossible, ils savaient tous que j'étais arrivée de nulle part. Et deux ans plus tard, elle avait eu un bébé bien à elle : elle avait accouché de Mary K. Oh, mon Dieu, ai-je

pensé, consternée. Je me sentais terriblement humiliée et embarrassée.

— On a apporté des mets chinois, a
annoncé tante Eileen.

— C'est prêt! a crié maman au même
moment.

J'aurais donné n'importe quoi pour ne
pas les suivre dans la salle à dîner, mais je
ne voyais aucun moyen d'y échapper. Au
centre de la table étaient étalés des cartons
blancs et des contenants de plastique remplis de nourriture.

— Bonjour, tu arrives juste à temps, a
dit maman, guettant ma réaction.

— Hmm, hmm, ai-je fait, en baissant
les yeux. J'étais avec Robbie.

— Robbie a tellement changé depuis
quelque temps; il est super mignon, a dit
Mary K. en se servant une portion de bœuf
à l'orange. A-t-il changé de dermatologue?

— Hum, je ne sais pas, ai-je répondu
nonchalamment. Mais sa peau est beaucoup plus belle.

— Peut-être est-il sorti de la puberté, a
suggéré maman. Je n'arrivais pas à croire
qu'elle bavardait comme si de rien n'était.

Frustrée, je sentais mon sang bouillir dans mes veines et je me forçais pour avaler mon souper.

— Me passerais-tu le porc ? a demandé papa.

Pendant un moment, nous avons mangé en silence. Si tante Eileen et Paula avaient remarqué qu'il se passait quelque chose de bizarre, que nous étions mal à l'aise et moins bavards, elles n'en ont rien laissé voir. Même Mary K., toujours tellement exubérante et pleine d'entrain, modérait ses ardeurs.

— Oh ! Morgan, a dit mon père, Janice a téléphoné.

Je voyais bien qu'il s'efforçait de parler d'une voix normale.

— Je lui ai dit que tu rappellerais après le souper.

— OK, merci, ai-je répondu, avant d'engouffrer une grosse boulette de pâte, afin de ne pas attirer l'attention sur mes répliques laconiques.

Le repas terminé, tante Eileen s'est levée pour aller chercher une bouteille de cidre pétillant et des verres dans la cuisine.

— C'est en quel honneur ? a demandé maman, surprise, esquissant un sourire.

— Eh bien… a commencé tante Eileen, un peu gênée, pendant que Paula se levait pour se rapprocher d'elle. Nous avons une grande nouvelle à vous annoncer.

Nous nous sommes regardées, Mary K. et moi.

— Nous allons vivre ensemble, a annoncé Eileen, rayonnante de bonheur.

Puis elle a souri à Paula, qui l'a serrée dans ses bras.

— J'ai déjà mis mon appartement en vente, et nous avons l'intention d'acheter une maison, a ajouté Paula.

— Oh ! c'est génial, s'est exclamée Mary K. en se levant pour embrasser Eileen et Paula, qui avaient les joues rouges d'excitation.

Je les ai félicitées à mon tour, et maman a fait de même. Quant à papa, il a pris Eileen dans ses bras, puis il a serré la main de Paula.

— C'est une merveilleuse nouvelle, a lancé maman, bien que quelque chose dans son expression disait qu'elle aurait trouvé plus sage qu'elles attendent de se connaître un peu mieux avant de s'engager.

Eileen a fait sauter le bouchon du cidre mousseux et en a versé dans les coupes que Paula nous a tendues à tour de rôle. Et nous avons trinqué.

— Prévoyez-vous acheter ou louer une maison ensemble ? a demandé maman.

— Nous voulons acheter, a répondu Eileen. Pour le moment, nous possédons chacune un appartement, mais j'aimerais adopter un chien alors, il nous faut une cour.

— Et je veux assez d'espace pour faire un jardin, a ajouté Paula.

— Un chien et un jardin, dont chacune aura l'exclusivité je suppose, a dit papa à la blague, et tout le monde a ri.

Tout cela me semblait tout à fait irréel, comme si je regardais une autre famille que la mienne à la télé.

— J'ai pensé que tu pourrais nous aider à trouver la maison, a dit Eileen à maman.

Maman a souri, et j'ai pris conscience, à cet instant, que c'était la première fois qu'elle souriait depuis hier.

— Je repassais déjà dans ma tête les maisons qui sont sur ma liste en ce moment, a avoué maman candidement. Si vous pouviez venir à mon bureau le plus tôt possible... on pourrait organiser quelques visites.

— Ce serait parfait, a approuvé Eileen.

Ensuite, Paula l'a enlacée et on aurait pu croire qu'elles étaient seules au monde.

Puis, reprenant ses esprits, Paula a poursuivi :

— Ce ne sera pas une sinécure de déménager. Mes biens sont éparpillés aux quatre coins de la ville : chez ma mère, chez mon père, chez mes sœurs. Mon appartement était beaucoup trop petit.

— Heureusement, j'ai une nièce qui non seulement est très forte, mais en plus, elle conduit une grosse voiture, a repris Eileen en me regardant d'un air entendu.

Je l'ai regardée en pensant « Je ne suis pas vraiment ta nièce cependant, n'est-ce pas ? » Même Eileen s'était prêtée à la comédie qu'avait été ma vie jusqu'ici. Même elle, ma tante favorite, avait menti en gardant le secret pendant 16 longues années.

— Tante Eileen, ai-je lancé à brûle-pourpoint, peux-tu m'expliquer pourquoi mes parents ne m'ont jamais dit que j'avais été adoptée ?

Du coup, l'atmosphère a changé comme si je venais d'avouer que j'étais atteinte de la peste bubonique.

Ils me regardaient tous bêtement, sauf Mary K., qui avait le nez dans son assiette, l'air malheureuse comme les pierres, et Paula, qui regardait Eileen d'un air inquiet.

On aurait pu croire que tante Eileen venait d'avaler une grenouille. Elle a écarquillé les yeux et, jetant des regards furtifs à papa et à maman, elle s'est écriée :

— Quoi ?

— Oui, ne crois-tu pas que quelqu'un aurait dû m'en informer ? M'en parler ? Tu aurais pu dire quelque chose. Mais peut-être as-tu pensé que c'était sans importance ? ai-je débité sans prendre le temps de souffler.

Une partie de moi savait que j'étais injuste, mais je ne pouvais plus m'arrêter.

On dirait bien que personne n'a trouvé la chose assez importante pour m'en parler. Après tout, il s'agit seulement de ma vie.

— Morgan, a gémi maman, la voix brisée.

— Euh, a fait tante Eileen qui, pour la première fois de sa vie, manquait de mots pour répondre à cette salve de questions.

Ils étaient tous aussi embarrassés que moi et notre dîner avait perdu son air festif. Irrémédiablement.

— Tant pis, ai-je dit abruptement en me levant. On en parlera plus tard. Pourquoi pas ? Cela fait 16 ans, je n'en suis pas à quelques jours près !

— Morgan, j'ai toujours pensé que c'était à tes parents de t'en parler, a objecté Eileen, visiblement navrée.

— Oui, bien sûr, ai-je répliqué sèchement. Et d'après toi, quand prévoyaient-ils m'annoncer la nouvelle ?

J'ai repoussé ma chaise avec fracas. Je ne pouvais pas supporter d'être parmi eux une seconde de plus. Leur hypocrisie me rendait malade. J'étais sur le point d'exploser.

Cette fois-ci, j'ai tout de même pensé à prendre ma veste avant de courir jusqu'à ma voiture et à fuir dans la nuit noire.

9

La lumière
qui guérit

Jour de la Saint-Patrick, 1981

Oh ! Jésus, Marie, Joseph, je suis ivre ! J'ai du mal à tenir mon crayon. Ballynigel avait organisé une fête de la Saint-Patrick pour célébrer la fin des festivités. Tous les résidants, sans exception, s'étaient rassemblés au village pour s'amuser. Humains ou sorciers, nous nous étions tous entendus pour porter du vert en ce jour de la Saint-Patrick.

Pat O'Hearn avait coloré toute sa bière en vert, et on en avait répandu partout, dans les chopes, dans les seaux, dans les chaussures, tout ce que vous voudrez. Le vieux Johnson en avait donné à boire à son âne, et on n'avait jamais vu âne aussi docile et obéissant ! J'ai ri à m'en tenir les côtes.

Les cow-boys irlandais ont joué leur musique durant tout l'après-midi, sur la pelouse. Tout le monde a dansé avec tout le monde, et les enfants se sont lancé des choux et des pommes de terre. On s'est amusé ferme, et j'ai bien l'impression que nos années noires sont derrière nous.

À présent, je suis chez moi, et j'ai allumé trois chandelles en l'honneur de la Déesse, pour lui demander de nous accorder prospérité et bonheur. C'est la pleine lune ce soir. Il faut que j'arrête de boire, que je m'habille et que j'aille cueillir mes herbes. Les patiences sous le pont sont arrivées à maturité, tout comme les violettes hâtives, les pissenlits et l'herbe aux chats. D'ici là, je ne peux plus boire de bière, sinon on me retrouvera au fond du marais, trop ivre pour tenir debout! Quelle journée!

— Bradhadair

En roulant sans but précis, il m'est apparu qu'à 20 h, un lundi soir, à Widow's Vale, New York, je n'avais nulle part où aller. Je m'imaginais entrant dans le café de la rue Principale, les joues baignées de larmes. Je m'imaginais me pointant chez Janice dans cet état. Non, Janice ne se doutait même pas que ma vie était devenue aussi compliquée. Robbie? J'y ai pensé une seconde, puis j'ai secoué la tête. Je détestais aller chez lui, car à coup sûr, son père serait écrasé devant la télé, une bière à la main, et sa mère, constamment en colère, ne desserrerait pas les dents. Évidemment, il n'était surtout pas question d'aller me réfugier chez Bree. Dieu du ciel, elle avait été tellement méchante envers moi aujourd'hui.

Cal? J'ai pris cette direction. Je me sentais à la fois désespérée et audacieuse, courageuse et terrifiée. Était-ce prétentieux de ma part d'aller chez lui sans y avoir été invitée? Tout se bousculait dans ma tête : l'histoire de mes parents biologiques, le refus de mes parents adoptifs de me dire la vérité sur mon passé, Bree… Je ne voulais même plus y penser. Je me sentais incapable de prendre une décision éclairée; je ne savais même pas si c'était correct d'aller frapper à la porte de Cal sans m'être annoncée.

En empruntant la longue allée pavée menant à leur grosse maison de pierre, je me sentais complètement incohérente. Qu'est-ce que je faisais? J'aurais voulu rouler sans but, toute la nuit, loin de tous. Être quelqu'un d'autre. J'avais du mal à croire que cette vie était la mienne.

Ayant éteint les phares et le moteur, je m'étais penchée sur le volant, littéralement paralysée par l'incertitude. Je ne me décidais pas à redémarrer pour reprendre la route.

Qui sait combien de temps je suis restée là, dans le noir, devant la demeure de Cal. J'ai levé les yeux lorsque des phares ont éclairé l'intérieur de ma voiture, et j'ai été aveuglée par leur réflexion dans le rétroviseur. Un gros VUS a contourné Das Boot et s'est arrêté près de la maison. La portière s'est ouverte, et une grande femme mince en est sortie. Automatiquement, les lampes d'urgence se sont allumées, baignant l'allée d'une douce lumière jaune. La femme s'est avancée vers ma voiture.

En voyant approcher Selene Belltower, j'ai descendu la vitre. Je me sentais comme une idiote. Pendant de longues secondes, l'air d'évaluer la situation, elle m'a regardée sans dire un mot et sans sourire. Finalement, comme si c'était tout à fait normal de trouver une fille dans le noir, devant chez soi, elle a dit :

— Morgan, pourquoi n'entres-tu pas ? Tu dois être frigorifiée. Viens, je vais faire du chocolat chaud.

Je suis sortie de Das Boot et j'ai claqué la portière. J'ai suivi la mère de Cal sur les larges marches de pierre jusqu'à la massive porte de bois de la maison.

Une fois à l'intérieur, elle m'a invitée à la suivre dans une grande cuisine de style rustique que je n'avais pas vue lors de ma première visite.

— Assieds-toi, Morgan, a-t-elle lancé, en m'indiquant un banc autour de l'îlot.

J'espérais que Cal était à la maison. Je n'avais pas vu sa voiture dehors, mais elle aurait pu être dans le garage.

Bien qu'attentive à mes perceptions sensorielles, je ne sentais pas sa présence. Tout en versant du lait dans une casserole, Selene Belltower me regardait d'un œil scrutateur.

— Tu es vraiment forte, a-t-elle commencé. Personnellement, j'avais déjà atteint la vingtaine lorsque j'ai appris à contrôler mes sens. Au fait, Cal n'est pas ici.

— Je suis désolée, ai-je dit, mal à l'aise. Je ferais mieux de partir. Je ne veux pas vous déranger…

— Tu ne me déranges pas du tout, a-t-elle répliqué en mélangeant le cacao avec le lait et en fouettant bien pour faire mousser. Je suis curieuse : Cal m'a dit des choses fort intéressantes à ton sujet.

Cal avait parlé de moi à sa mère ?

Lisant la consternation sur mon visage, elle est partie d'un grand rire franc et chaleureux.

— Cal et moi, nous sommes très proches, tu sais. Pendant longtemps, nous avons été seuls tous les deux. Cal avait quatre ans à peine quand son père nous a quittés.

— Je suis désolée, ai-je répété.

Elle me parlait comme si elle s'adressait à une adulte et, curieusement, cela me donnait l'impression d'être plus jeune que mes 16 ans.

Selene Belltower a haussé les épaules.

— J'étais désolée moi aussi. Son père lui a beaucoup manqué, mais il vit en Europe à présent, et ils ne se voient pas très souvent. Ça ne devrait pas te surprendre que mon fils me fasse des confidences. Après tout, ce serait peine perdue pour lui d'essayer de me cacher quoi que ce soit.

J'ai pris une longue respiration pour tenter de me détendre. Voilà donc ce qu'était la vie dans la maison d'une sorcière de sang : aucun secret.

La mère de Cal a versé le chocolat dans deux jolies tasses peintes à la main et m'en a tendu une. Le liquide était bouillant ; j'ai déposé ma tasse et j'ai attendu qu'il tiédisse. Selene a passé sa main deux fois de suite au-dessus de sa tasse, puis elle en a pris une gorgée.

— Essaie ceci, a-t-elle suggéré. Avec ta main gauche, fais des cercles au-dessus de ta tasse, dans le sens inverse des aiguilles d'une montre, en disant : « Calme le feu ».

J'ai fait ce qu'elle me disait et j'ai senti la chaleur du liquide passer dans ma main gauche.

— Maintenant, bois ton chocolat, a-t-elle dit tout en m'observant.

J'en ai pris une gorgée. Le liquide était beaucoup moins chaud, prêt à boire. J'ai souri, ravie.

— La main gauche repousse; la main droite donne. Dans le sens des aiguilles d'une montre pour augmenter, dans le sens contraire pour diminuer. Et les mots les plus simples sont les plus efficaces, m'a-t-elle expliqué patiemment.

J'ai fait signe que oui tout en savourant mon chocolat. Penser que je pouvais prononcer des paroles et faire un mouvement pouvant refroidir une boisson chaude à la bonne température, cela me fascinait !

Selene a souri et a plongé son regard dans le mien, l'air compatissant.

— On dirait que tu as passé un moment difficile.

C'était un euphémisme, mais j'ai fait signe que oui.

— Est-ce que Cal vous en a parlé ?

— Il m'a dit que tu venais de découvrir que tu avais été adoptée. Que tes parents biologiques étaient probablement des sorciers de sang. Il m'a également dit que tu pensais être la fille de deux sorciers irlandais qui seraient morts ici, il y a 16 ans environ.

De nouveau, j'ai hoché la tête.

— Pas exactement ici, à Meshomah Falls. C'est à deux heures de route. Je crois que ma mère s'appelait Maeve Riordan.

Les traits de Selene étaient soudain devenus sérieux.

— J'ai déjà entendu cette histoire. Je m'en souviens. J'avais 40 ans, Cal n'avait pas tout à fait 2 ans. Je me rappelle avoir pensé qu'un tel drame ne pourrait jamais nous arriver, à moi, à mon mari, à notre enfant.

Selene passait et repassait ses longs doigts fins sur le rebord de sa tasse.

— Je suis moins naïve aujourd'hui. Je suis vraiment désolée pour toi. C'est toujours difficile d'être différent, même lorsqu'on jouit du soutien de son entourage. On se sent toujours à part. Je comprends que tu traverses une période particulièrement difficile.

En l'écoutant me parler ainsi, j'avais la gorge serrée. J'ai pris une autre gorgée de chocolat pour me donner du courage. Qu'aurais-je pu dire de plus ? Je m'attachais à des détails insignifiants : si elle avait 40 ans à l'époque, cela voulait dire qu'elle en avait 56 aujourd'hui, mais je lui en aurais donné à peine 35.

— Si tu veux, a-t-elle repris, hésitante, je peux t'aider à te sentir mieux.

— Qu'est-ce que vous voulez dire ? ai-je demandé.

Pendant un moment d'égarement, j'ai cru qu'elle m'offrait de prendre quelque drogue.

— Voilà : je perçois des ondes de discorde, de tristesse, de colère. Nous pourrions faire un petit cercle à deux et essayer de te soulager un peu.

J'ai retenu mon souffle. Jusque-là, j'avais formé un cercle uniquement avec Cal et les membres de notre cercle. À quoi devais-je m'attendre avec quelqu'un de plus puissant que Cal ? Néanmoins, je me suis entendue répondre :

— Oui, s'il vous plaît…

Selene a souri et à ce moment-là, j'ai vu combien elle et Cal se ressemblaient.

— Alors, suis-moi.

La maison était en forme de U ; elle comprenait une partie centrale et deux ailes. Elle m'a conduite à l'autre extrémité de l'aile gauche, dans une pièce immense qui servait sans doute aux rituels de son cercle. Puis, elle a ouvert une porte à peine visible, dissimulée parmi les panneaux muraux. J'ai ressenti un frisson de joie enfantine. Des portes secrètes !

Nous avons pénétré dans une pièce beaucoup plus petite et intime, meublée seulement d'une petite table, de quelques étagères de livres et de candélabres fixés aux murs. Selene a allumé les chandelles.

— C'est mon sanctuaire privé, a-t-elle dit en passant ses doigts sur les montants de la porte. Furtivement, j'y ai vu scintiller des *sigils*, servant sans doute à préserver notre intimité, ou encore à nous protéger. Mais je n'aurais su comment les lire. J'avais tant de choses à apprendre. J'étais une vraie novice.

À l'aide d'une poudre rougeâtre qui dégageait une odeur forte et épicée, Selene avait déjà tracé un petit cercle sur le parquet de bois. Elle m'a fait entrer dans le cercle avec elle, puis l'a refermé derrière nous.

— Assoyons-nous, a-t-elle dit.

Une fois assises par terre en tailleur, face à face, il ne restait plus beaucoup d'espace dans ce cercle minuscule.

Tour à tour, nous avons saupoudré du sel autour de notre moitié du cercle en disant : « Avec ce sel, je purifie mon cercle. »

Puis Selene a fermé les yeux et a baissé la tête, mains sur les genoux, comme au yoga.

— À chaque expiration, expulse une émotion négative. À chaque inspiration, accueille la lumière blanche, la lumière de guérison, calmante et apaisante. Sens-la entrer par tes doigts, tes orteils ; elle s'arrête un instant dans ton estomac, avant de poursuivre sa course jusqu'au sommet de ta tête.

Peu à peu, son débit est devenu plus lent, sa voix plus profonde, plus ensorcelante. J'avais fermé les yeux, le menton sur ma poitrine. J'expirais, forçant l'air à sortir complètement de mes poumons. Puis j'inspirais, tout en écoutant ses paroles apaisantes.

— Je relâche la tension, a-t-elle murmuré.

J'ai répété après elle sans la moindre hésitation.

— Je me libère de la peur et de la colère…

Ses mots flottaient jusqu'à moi comme sur une mer étale. Répétant chacune de ses paroles, je sentais littéralement que les nœuds commençaient à se dénouer dans mon ventre, dans les muscles de mes bras et de mes mollets. Et Selene a poursuivi :

— Je relâche l'incertitude.

Et j'ai répété après elle.

Silencieuses pendant de longues minutes, nous avons pris plusieurs profondes respirations. Mon mal de tête s'était dissipé, mes tempes avaient cessé de palpiter, ma cage thoracique s'était ouverte, et je respirais beaucoup mieux.

— Je me sens calme, a dit Selene.

— Moi aussi, ai-je affirmé, songeuse.

Je sentais plus que je ne voyais son sourire.

— Non, dis-le, a-t-elle insisté.

— Oh, je me sens calme, ai-je dit.

— Ouvre tes yeux. Trace ce symbole avec ta main droite, m'a-t-elle indiqué, tra-çant des lignes dans les airs avec deux doigts. C'est la rune du réconfort.

Je l'ai observée puis, consciencieuse-ment, j'ai tracé dans les airs une ligne droite vers le bas, puis un triangle attaché au sommet, semblable à un petit drapeau.

— Je me sens en paix, a-t-elle ajouté, tout en dessinant la même rune sur mon front.

— Je me sens en paix, ai-je répété après elle, sentant la chaleur de son doigt sur ma peau.

Le souvenir de ce qui était arrivé à mes parents biologiques s'estompait peu à peu. Il était toujours présent à mon esprit, mais il ne pouvait plus me meurtrir autant qu'avant.

— Je suis amour. Je suis paix. Je suis force.

En répétant ses paroles, j'ai senti une délicieuse chaleur circuler dans tout mon être.

— J'en appelle à la force de la Déesse et du Dieu. J'en appelle au pouvoir de notre mère la Terre, a repris Selene, en traçant une autre rune sur mon front.

C'était un demi-rectangle inversé, et tandis qu'il s'inscrivait sur ma peau, j'ai pensé : force.

Selene et moi formions un tout. Je sentais sa force dans ma tête ; je sentais qu'elle calmait la moindre vague d'émotions en moi, chassant chaque nœud de peur, chaque grondement de colère. Elle creusait toujours plus profondément, et je la laissais faire avec langueur. Selene a apaisé ainsi toutes mes souffrances, jusqu'à ce que je sois presque en transe.

Au bout d'un long moment, je me suis éveillée. Spontanément, j'ai ouvert les yeux, juste à temps pour voir qu'elle relevait la tête et ouvrait les yeux à son tour. Je me sentais un peu sonnée mais tellement mieux que je ne pouvais m'empêcher de sourire.

— Ça va mieux ? a-t-elle demandé, me rendant mon sourire.

— Oh, oui, ai-je répondu, incapable d'en dire davantage.

— En voici une autre pour toi, a-t-elle ajouté en traçant deux triangles au dos de mes mains. C'est pour les nouveaux débuts.

— Merci, ai-je dit, émerveillée de son pouvoir. Je me sens beaucoup mieux.

— Bien.

Nous nous sommes relevées, Selene a dissout le cercle et éteint toutes les chandelles. En retraversant l'immense pièce servant aux rituels de son cercle, j'ai vu le visage de Selene reflété dans une grande psyché montée dans un cadre doré. Elle souriait. Son visage était lumineux, presque triomphant. Puis cette image a disparu, et j'ai pensé que ce devait être le fruit de mon imagination.

Sur le seuil de la porte, elle m'a tapoté la main et je l'ai remerciée encore une fois. En retournant à ma voiture, je flottais presque, insensible au vent et au froid de novembre. Je me sentais parfaitement bien,

des pieds à la tête. Je ne me demandais
même pas où Cal pouvait être passé.

10

Séparation

14 août 1981

Ils affirment que le cercle qui se réunit à Much Bencham compte trois nouveaux étudiants. Nous n'en avons aucun. Jara et Cliff ont été les derniers élèves à se joindre au cercle Belwicket, et c'était il y a trois ans. Avant que Lizzie Sims atteigne quatorze ans, dans quatre ans, nous n'avons personne. Bien sûr, à Much Bencham, ils acceptent à peu près n'importe quel élève désireux de poursuivre des études.

Je suis d'avis que nous devrions en faire autant – si tant est que nous puissions convaincre quelqu'un de se joindre à nous. Belwicket a choisi son propre chemin, il y a belle lurette, et cela ne convient pas à tout le monde. Mais il faut que nous prenions de l'expansion. Si nous n'acceptons que ceux qui sont nés sorciers de sang, qui appartiennent à un clan, nous sommes voués à l'extinction. Nous devons rechercher des gens de notre race, mélanger les clans.

Mais Ma et les anciens m'ont forcée à me taire plus d'une fois. Ils veulent que nous demeurions purs. Ils refusent de laisser entrer des étrangers dans nos rangs.

Sans doute certains membres du cercle Belwicket préféreraient-ils mourir.

— Bradhadair

En rentrant chez moi ce soir-là, la lumière dans la chambre de mes parents était déjà éteinte, et si le moteur de ma voiture les a réveillés, ils n'en ont rien laissé voir. Mary K. était restée debout à m'attendre; elle écoutait de la musique dans sa chambre. Quand j'ai passé la tête dans l'entrebâillement de la porte, elle a levé les yeux et enlevé ses écouteurs.

— Salut! ai-je dit, ressentant un élan de profond amour pour elle.

Après tout, elle était ma sœur, sinon par le sang, du moins par la force des circonstances. Je regrettais de l'avoir blessée.

— Où es-tu allée?

— Chez Cal. Il n'était pas là, mais j'ai parlé à sa mère.

— Ça a été affreux après ton départ. J'ai cru que maman allait s'écrouler. Tout le monde était vraiment très malheureux.

— Je suis désolée, ai-je dit, sincère. J'ai simplement du mal à admettre que maman et papa aient gardé ce secret pour eux tout ce temps. Ils m'ont menti, ai-je ajouté en secouant la tête. J'ai compris, ce soir, que tante Eileen et tous les membres de notre famille, ainsi que les amis de papa et maman, tous savaient que j'étais une enfant adoptée. Je me suis sentie tellement stupide d'avoir vécu dans l'ignorance jusqu'à hier. J'étais furieuse… qu'ils ne m'en aient rien dit, alors que tout le monde était au courant.

— Ouais ! je n'y avais pas pensé, a répondu Mary K. en fronçant les sourcils. Mais tu as raison. C'est sûr que tout le monde était au courant. Mais moi, je ne le savais pas. Tu me crois au moins ?

J'ai fait signe que oui.

— Tu n'aurais jamais pu garder ce genre de secret, ai-je répondu, sourire en coin.

Mary K. m'a lancé son oreiller.

La couverture de paix, de pardon et d'amour dont m'avait entourée Selene Belltower m'enveloppait toujours de sa douce chaleur.

— Écoute, notre vie risque d'être assez mouvementée pendant un certain temps. Il va falloir que maman et papa me parlent de mon passé et de mon adoption. Je n'arrêterai pas de chercher tant que je ne saurai pas toute la vérité. Mais cela ne signifie pas que je ne t'aime pas ou que je ne les aime plus. On va s'en sortir, c'est sûr.

Le doute se lisait sur le joli minois de Mary K.

— OK, a-t-elle fait, prête à prendre ma parole.

— Je suis heureuse pour tante Eileen et Paula, ai-je poursuivi, histoire de changer de sujet.

— Moi aussi. Je ne voulais pas que tante Eileen soit seule plus longtemps, a dit Mary K. Crois-tu qu'elles vont avoir des enfants?

J'ai ri.

— Ne saute pas les étapes. Il faudrait d'abord qu'elles apprennent à vivre ensemble.

— Oui. Bon, je suis fatiguée, a dit Mary K., laissant tomber ses écouteurs sur le plancher.

— Attends. Je vais te calmer.

M'avançant vers elle, j'ai tracé sur son front la rune du réconfort, comme Selene me l'avait enseigné. J'ai senti la chaleur quitter le bout de mes doigts et en reculant d'un pas, j'ai vu que Mary K. me regardait, mécontente.

— Je t'en prie, ne me fais pas ça, a-t-elle murmuré. Je ne veux rien avoir à faire avec ce truc.

Piquée, j'ai cligné des paupières et marmonné :

— Oui, bien sûr.

Puis, atterrée, j'ai couru dans ma chambre. Cette chose qui m'avait apporté tant de joie, ne faisait que perturber ma sœur. C'était là un signe évident de nos différences, du gouffre toujours plus grand qui l'entraînait dans une direction, et moi dans une autre.

Cette nuit-là, j'ai dormi d'un sommeil profond, sans rêves, et au réveil, je me sentais merveilleusement bien. J'ai joint les mains, comme si j'allais y voir le *sigil* que Selene y avait tracé : Daeg. Une nouvelle aurore. Un éveil.

— Morgan? a appelé Mary K. du rez-de-chaussée. Il faut partir pour l'école.

J'étais en retard, comme d'habitude. J'ai pris une douche éclair, me suis habillée à la hâte, et j'ai dévalé les marches, les cheveux encore dégoulinants. Dans la cuisine, j'ai chipé une barre-santé et j'étais prête à partir. Mary K., qui sirotait son jus d'orange, a levé les yeux sans se presser.

— Pas de panique, a-t-elle dit, je t'ai réveillée plus tôt pour une fois. J'ai accumulé deux retards le mois dernier.

Bouche bée, j'ai regardé l'horloge. Les cours ne commenceraient pas avant un bon 45 minutes! Je me suis laissée choir sur une chaise et j'ai fait de grands gestes incohérents en direction du frigo.

Prise de pitié, ma sœur a ouvert la porte du frigo et m'a tendu un soda. Je l'ai avalé d'un trait, puis je suis remontée dans ma chambre pour me démêler les cheveux.

Nous sommes arrivées en retard de toute façon. M'étant garée en parallèle avec une efficacité redoutable, j'ai aperçu Bakker qui venait à la rencontre de Mary K. Mon humeur a changé aussitôt.

— Regarde-le, ai-je dit. Il attend patiemment sa proie comme une grosse araignée.

Mary K. m'a donné un coup sur le tibia.

— Arrête ça tout de suite. Je pensais que tu l'aimais bien.

— Il est correct, ai-je dit, en pensant qu'il fallait que je me détende.

Cela m'aurait mise en rogne que quelqu'un s'avise de remettre en cause mon rôle de grande sœur. Mais je n'ai pu m'empêcher de poser la question :

— Est-ce qu'il sait que tu as seulement 14 ans ?

— Non, il croit que je suis en secondaire quatre, a répondu Mary K. sur un ton sarcastique, levant les yeux au ciel. Ne vends pas la mèche, a-t-elle ajouté en sortant de la voiture.

Pendant qu'elle embrassait Bakker, j'ai claqué la portière. Puis, sac à dos sur l'épaule, je me suis dirigée vers l'entrée est du collège.

— Hé! Morgan, attends! a crié Janice Yutoh, qui courait en faisant valser ses cheveux soyeux.

Oups! j'avais complètement oublié de la rappeler la veille.

— Désolée, j'ai oublié de te rappeler, ai-je fait, avant qu'elle n'ouvre la bouche.

— C'est pas grave, a-t-elle dit, essoufflée et faisant un geste de la main. Je voulais juste te dire bonjour. Je ne t'ai pas vue ces derniers temps, en dehors de l'école.

— Je sais, ai-je dit comme pour m'excuser. Il s'est passé un tas de choses.

L'explication était si boiteuse en comparaison de la réalité, que c'en était risible.

— Tante Eileen s'en va vivre avec sa copine, ai-je ajouté, histoire d'annoncer une bonne nouvelle.

— C'est super! Dis-lui que je suis heureuse pour elle.

— Je n'y manquerai pas. Quelle note as-tu récoltée à l'épreuve écrite du professeur Fishman ?

— Je m'en suis sortie avec un A, a-t-elle répondu en m'emboîtant le pas.

— Génial. J'ai eu B+. Je hais les épreuves écrites. Trop de mots, me suis-je plainte, ce qui a faire rire Janice.

Puis nous avons vu arriver Tamara et Ben Reggio, juste au moment où la cloche sonnait.

— Il faut que je parle à Ben, a dit Janice en s'éloignant. Il a mes notes de latin.

— À tantôt.

Je me suis dirigée vers l'endroit où notre cercle avait l'habitude de se retrouver le matin, mais tous les bancs étaient vides. J'étais presque aussi déçue de ne pas voir Cal que soulagée de ne pas avoir à affronter Bree.

À l'heure du lunch, il tombait une petite bruine, et des gouttes d'eau maussades dessinaient des lignes brisées sur les vitres. Je me suis rendue à la cafétéria, dont l'atmosphère chaude et humide m'a semblé agréable pour une fois. Le temps de prendre un cabaret et de jeter un œil à la ronde, notre cercle était déjà assis à la table près de la fenêtre. Avec un certain soulagement, j'ai remarqué que Raven et Bree n'y étaient pas. Beth Nielson non plus.

Je me suis frayé un chemin pour aller m'asseoir à côté de Cal. Son sourire, en me voyant arriver, était comme un rayon de soleil.

— Salut, a-t-il dit, se tassant pour que je puisse m'asseoir. Es-tu arrivée en retard ce matin?

J'ai fait signe que oui en décapsulant mon soda :

— Juste au son de la cloche.

— Tu me donnes une frite? a-t-il demandé, se servant sans attendre ma réponse.

Sa belle familiarité m'a fait chaud au cœur.

— Maman m'a dit que tu es venue chez nous hier soir. Je suis désolé de t'avoir ratée, a-t-il ajouté, me serrant le genou sous la table. Ça va? s'est-il ensuite enquis d'une voix douce.

— Oui, ta mère a été super gentille. Elle m'a enseigné un peu de magye par les runes, ai-je répondu à voix basse.

— Génial, a dit Jenna en étirant le cou. Quoi par exemple ?

— Des runes différentes pour différentes choses, ai-je précisé. Comme les runes du bonheur, du renouveau, de la paix et du calme.

— Et ç'a marché ? a voulu savoir Ethan.

— Oui ! me suis-je exclamée en riant. Comme si la magye de Selene Belltower pouvait ne pas fonctionner. Ce serait bien si on pouvait commencer à étudier les runes ; si on pouvait tout savoir sur les runes.

Cal a hoché la tête.

— Les runes sont vraiment puissantes. On s'est servis d'elles pendant des milliers d'années. J'ai des livres là-dessus. Je peux te les prêter si tu veux.

— J'aimerais bien les lire moi aussi, a dit Sharon, tournant sa paille dans son berlingot de lait.

— Voici une rune pour vous mes amis, a proposé Cal, dégageant le centre de la table et y traçant un symbole avec son doigt : deux lignes parallèles et deux autres lignes barrant les premières pour les unir.

Il a fait le même dessin plusieurs fois, jusqu'à ce que nous l'ayons tous mémorisé.

— Qu'est-ce que ça représente ? a demandé Matt.

— En gros, cela symbolise l'interdépendance, a expliqué Cal, la communauté, les bons sentiments pour autrui, hommes et femmes. Ce que nous ressentons tous les uns envers les autres, notre cercle : Cirrus.

Nous nous sommes regardés pendant une minute, afin de bien nous imprégner de cette notion.

— Mon Dieu, il y a tant de choses à apprendre, s'est exclamée Sharon. J'ai l'impression que je n'y arriverai jamais : herbes, formules magyques, runes, potions.

— Est-ce que je peux te parler ?

Beth Nielson était venue se planter devant Cal, son petit béret multicolore posé coquettement sur ses cheveux courts.

— Bien sûr, a fait Cal. Puis, ayant remarqué qu'elle fronçait les sourcils. Est-ce que c'est personnel ?

— Non, a répondu Beth en secouant la tête de gauche à droite, sans le regarder dans les yeux. Ça n'a pas d'importance. Ce n'est pas un secret.

— Qu'est-ce qui ne va pas, Beth? a demandé Cal, très calme, même si tout notre groupe avait entendu leur échange malgré le vacarme.

Le regard dans le vide, Beth a haussé les épaules. Sur sa peau couleur café, son ombre à paupières turquoise et brillante produisait un contraste frappant.

J'ai jeté un œil à Jenna, qui haussait les sourcils, de l'autre côté de la table.

Puis, avant de poursuivre sur sa lancée, Beth a reniflé comme si elle était enrhumée :

— C'est que tout ça, c'est un peu trop pour moi. Je croyais que ce serait sympa, mais c'est vraiment trop bizarre : les cercles, et Morgan qui fait s'ouvrir les fleurs, a-t-elle expliqué en me montrant d'un geste du menton. C'est trop étrange, a-t-elle conclu, soulevant les épaules sous son manteau de cuir brun, puis les laissant retomber. Je ne veux plus rien à voir avec tout ce cirque. Je n'aime pas ça. Ça me fout la trouille.

L'anneau qu'elle avait dans le nez brillait sous la lumière fluorescente.

— Dommage, a dit Cal. La Wicca n'a pas pour but d'incommoder qui que ce soit. Elle sert plutôt à célébrer la beauté et le pouvoir de la Terre.

Beth le regardait d'un air neutre, inexpressif.

— Donc, tu veux t'exclure de notre cercle. En es-tu certaine? a demandé Cal. Peut-être aurais-tu seulement besoin d'un peu plus de temps pour t'habituer à tout cela.

Beth a secoué la tête.

— Non, je ne veux plus participer à vos séances.

— Bien, si la Wicca n'est pas pour toi, c'est ton choix. Merci pour ta franchise, a conclu Cal.

— Hmm, hmm, a fait Beth, en se balançant sur ses Doc Marten.

— Beth, encore une chose, a repris Cal. Tu serais gentille de respecter notre secret.

Il y avait tant de gravité dans sa voix, que Beth s'est sentie forcée de lever les yeux.

— Tu as participé à nos cercles ; tu as vu le pouvoir de la magye. Garde tes expériences pour toi, d'accord ? Ça ne regarde que nous.

— Ouais, OK, a promis Beth en soutenant son regard.

— Bien, a poursuivi Cal. Tu as décidé de partir ; maintenant, il faut que tu saches que tu ne pourras pas réintégrer le cercle s'il advenait que tu changes d'idée. Désolé, mais c'est ainsi.

— Je ne changerai pas d'idée, a affirmé Beth.

Puis elle s'est éloignée sans se retourner.

Nous nous sommes tous regardés, interloqués.

— Que s'est-il passé au juste ? ai-je demandé.

— Oui, c'était vraiment bizarre, a renchéri Jenna en toussant.

— Je ne sais pas, a dit Cal, dont le visage s'était assombri.

Puis il a haussé les épaules pour tâcher de se ressaisir.

— Mais, comme j'ai dit, la Wicca ne convient pas à tout le monde. Et, regardant sur la table, il a ajouté : la prochaine fois qu'on se réunira, je vous enseignerai d'autres runes, peut-être même un petit sortilège.

— Cool, a dit Ethan. Vas-tu manger ce brownie ? a-t-il poursuivi en se penchant vers Sharon.

Elle a fait mine d'être froissée, mais on voyait bien que c'était pour rire.

— Oui.

— Moitié, moitié ? a-t-il proposé.

Ethan, ancien drogué, à peine réhabilité en adolescent débraillé, a adressé à Sharon un sourire faussement timide. C'était comme regarder un chien errant faire la cour à un caniche sortant de chez le coiffeur.

— Tu peux en prendre une petite bouchée, a dit Sharon, en piquant un petit fard et en lui détachant un petit morceau.

Ethan lui a alors servi son plus beau sourire avant d'engouffrer sa part de brownie.

Autour de nous, des centaines d'étudiants étaient rassemblés dans la cafétéria, mangeant, discutant, transportant leurs cabarets. Nous étions un microcosme du collège. J'avais l'impression que nous étions les seuls à parler de choses sérieuses faisant une différence – des choses beaucoup plus importantes et intéressantes que la dernière joute oratoire ou la dernière compétition de gym. J'avais tellement hâte d'en avoir terminé avec le secondaire, d'aller de l'avant dans les autres sphères de ma vie. Je me voyais consacrant ma vie entière à la Wicca, toujours avec Cal, vivant une vie pleine de sens, de joie et de magye.

Robbie m'a donné un coup de coude dans les côtes pour me ramener à la réalité du moment.

— Pardon, a-t-il dit, en se frottant les tempes. As-tu des cachets?

— Non, désolée. Ton rendez-vous chez le médecin, c'est aujourd'hui, non? lui ai-je demandé avant de mordre dans mon hamburger.

— Ouais !

— Tiens, prends ça, a dit Jenna, sortant deux cachets de son sac.

Robbie les a avalés avec une gorgée de soda, sans même prendre le temps de les regarder.

— C'était quoi ?

— Cyanure, a lancé Sharon, ce qui nous a tous fait pouffer.

— En fait, c'était des Midol, a ajouté Jenna, enfonçant la tête dans son coude pour tousser un bon coup.

Je me demandais si elle n'avait pas attrapé un mauvais rhume.

Devant la tête que faisait Robbie, Matt est parti d'un fou rire irrépressible.

— Sans blague, ça va te faire du bien, a insisté Jenna. C'est ce que je prends pour mes maux de tête.

— Très drôle, a dit Robbie, en secouant la tête.

— Il faut voir le bon côté des choses, est intervenu Cal, sagement. Tu ne souffriras pas de ballonnement.

— Tu vas te sentir joli toute la journée, a renchéri Matt en riant si fort qu'il a du s'essuyer les yeux.

— Très, très drôle, a répété Robbie, ce qui nous a fait glousser de plus belle.

— Comme c'est charmant, a dit Raven d'une voix insidieuse. Ils sont tous là, heureux et riant à l'unisson. Touchant, n'est-ce pas, Bree?

— Très touchant, a répété Bree, l'air méprisant.

Cessant de rire aussitôt, je les ai regardées, debout près de notre table. Les gens circulaient derrière elles, poussant Bree dans ma direction. Grâce à Selene, je me sentais encore très détendue. Pourtant, en voyant mon ex-meilleure amie, je n'y pouvais rien, elle me manquait terriblement. Je me sentais si proche d'elle; je l'avais connue bien avant qu'elle ne soit la beauté fatale qu'elle était devenue, du temps où elle était seulement jolie. Elle n'avait jamais connu d'âge ingrat, comme la plupart des adolescents. Pourtant, à 12 ans, elle avait eu des broches et une affreuse coupe de cheveux. Je l'avais connue avant qu'elle ne s'intéresse aux garçons, à l'époque où sa mère et son frère vivaient encore avec eux.

Les choses avaient bien changé.

— Salut Raven! salut Bree! a dit Cal sans cesser de sourire. Assoyez-vous, on va serrer les rangs.

— Non, merci, a répondu Raven en tapant le bout de sa Gauloise sur son poignet. Beth vous a-t-elle dit qu'elle laissait tomber le cercle? a-t-elle demandé d'une voix dure, hostile.

J'ai regardé Bree, qui avait les yeux rivés sur Raven.

— Oui, elle nous l'a dit, a répondu Cal, haussant les épaules. Pourquoi?

Raven et Bree ont échangé un regard. Il y avait un mois, Bree et moi nous moquions ensemble de Raven. Aujourd'hui, on aurait dit que qu'elles étaient devenues les meilleures amies du monde. Je faisais de gros efforts pour demeurer calme et impassible.

Bree a fait un petit signe de tête à Raven, et Raven a pincé les lèvres en guise de sourire.

— Nous aussi, on abandonne, a-t-elle annoncé.

Je sais que la surprise se lisait sur mon visage, et en jetant un coup d'œil autour de la table, j'ai pu constater que les autres étaient aussi surpris que moi. À mes côtés, Cal était sur le qui-vive, car il a froncé les sourcils, l'air dubitatif.

— Non, a dit Robbie. Pensez-y…

— Pourquoi? a demandé Jenna. Je pensais que ça vous intéressait vraiment toutes les deux!

— En effet, ça nous intéresse, a sèchement répliqué Raven. On ne vous suit pas, c'est tout, a-t-elle ajouté en tapant sa cigarette plus fort contre son poignet.

Je devinais qu'elle avait une terrible envie de l'allumer.

— Nous avons joint un autre cercle, a annoncé Bree.

L'expression sur son visage me faisait penser à la moue d'un enfant que j'avais déjà gardé. Il avait lancé un lézard vivant sur la table, au beau milieu d'un repas, uniquement pour voir notre réaction.

— Un autre cercle !, s'est exclamée Sharon, en faisant cliqueter ses bracelets de métal. Quelle cercle ?

— Un autre, a dit Raven, laconique, prenant un air méprisant.

— Bree, ne sois pas stupide, a dit Robbie.

J'ai eu l'impression que ces mots avaient blessé mon amie.

— Nous avons créé notre propre groupe, a annoncé Bree en s'adressant à Robbie.

Raven lui a lancé un regard désapprobateur, et je me suis demandé si Bree n'était pas censée garder le secret.

— Vous avez créé votre propre cercle, s'est étonné Cal en se frottant le menton. Qu'est-ce qui ne vous convenait pas dans Cirrus ?

— Pour dire la vérité, Cal, a repris Bree froidement, je ne veux pas faire partie d'un cercle où il y a des traîtres qui vous jouent dans le dos. Je veux pouvoir faire confiance aux gens avec qui je pratique la magye.

Cette remarque m'était adressée, et peut-être aussi à Cal, et mes joues sont devenues brûlantes tout à coup.

Cal avait les sourcils en accent circonflexe.

— Oui, la confiance est très importante, a-t-il admis lentement. Je suis d'accord avec toi sur ce point. Es-tu bien certaine de pouvoir faire confiance aux personnes qui composent ton nouveau cercle?

— Oui, a répondu Raven, en élevant un peu trop la voix. Tu n'es pas la seule sorcière en ville!

— Non, non, certainement pas, a fait Cal, et j'ai pu déceler une pointe de contrariété dans sa voix.

Puis, me prenant par les épaules, il a ajouté:

— Par exemple, il y a Morgan ici. Votre nouvelle assemblée compte-t-elle une sorcière de sang?

Tous les yeux se sont tournés vers moi.

— Une sorcière de sang? a fait Bree, sur le ton de la dérision.

— C'est ce que tu as prétendu le soir de Samhain, s'est rappelé Raven. Uniquement pour bien nous enchaîner.

— Pas du tout, a dit Cal.

J'ai dégluti et baissé les yeux, dans l'espoir que cette conversation prenne fin avant que les intéressés n'en arrivent à la seule déduction logique.

— Si Morgan est une sorcière de sang, a repris Bree d'un air féroce, alors il faut que ses parents le soient également, non ? C'est bien ce que tu nous as enseigné ! Suis-je donc censée croire que Sean et Mary Grace Rowlands sont des sorciers de sang ?

Cal se taisait, comme s'il venait de s'apercevoir que la conversation prenait une direction dangereuse.

— Quoi qu'il en soit, a-t-il dit.

Je me suis penchée sur lui, car je savais qu'il essayait de me protéger. Puis il a ajouté :

— Ne change pas de sujet. Ainsi, vous voulez vraiment abandonner Cirrus ?

— À tout jamais, mon cœur, a répondu Raven, portant sa cigarette à la bouche sans l'allumer.

— Bree, réfléchis bien à ce que tu fais, a demandé Robbie.

J'étais contente qu'il tente de la convaincre de rester car, pour ma part, j'en étais incapable.

— C'est tout réfléchi, a rétorqué Bree, et j'abandonne.

— Eh bien! soyez prudentes, a dit Cal en se levant.

Attrapant mon sac et mon cabaret, je me suis levée pour le suivre.

— Rappelez-vous que la plupart des sorcières sont bonnes, mais pas toutes. Faites bien attention de ne pas jeter de l'huile sur le feu.

Raven a eu un petit rire rauque.

— Que de sagesse; merci pour le conseil!

Cal les a regardées une dernière fois, m'a fait un signe de tête, et nous sommes sortis de la cafétéria.

Cal m'a accompagnée jusqu'à mon casier et m'a attendue pendant que je faisais la combinaison de mon cadenas et que je récupérais mes cahiers.

— Si elles forment un nouveau cercle, en serons-nous affectés d'une manière ou d'une autre ? ai-je demandé à voix très basse.

— Je ne sais pas, a répondu Cal, se passant les doigts dans les cheveux. Je ne crois pas. Mais... a-t-il ajouté en haussant les épaules.

Il avait mis deux doigts sur ses lèvres pour mieux réfléchir.

— Quoi ?

— Eh bien ! je me demande à quel cercle elles ont adhéré. De toute évidence, elles ne sont pas seules. J'espère qu'elles seront prudentes. Toutes les sorcières ne sont pas... inoffensives.

J'ai senti que la tension commençait à entamer ma paix encore récente et j'ai levé les yeux vers Cal. Il m'a embrassée, et son regard aux reflets dorés m'a réchauffé le cœur.

— À plus tard !

Un sourire fugace, et il n'était plus là.

11

Connectés

3 janvier 1982

Le vieux Johnson a perdu trois autres brebis la nuit dernière. Cela se produit après toutes les incantations pour éloigner le Malin que nous avons formulées au cours du mois dernier. Maintenant, il a perdu presque tout son troupeau, et il n'est pas le seul. Il a dit aujourd'hui dans « L'Aigle et le lièvre », qu'il est lavé ; il ne lui reste pas suffisamment de brebis pour tout recommencer. Il ne peut plus rien faire, à part vendre.

J'ai l'impression de tourner en rond avec mes incantations pour chasser le Malin. Nous sommes tous paranoïaques et nous vivons sous un nuage noir. La semaine dernière, j'ai pratiqué la magye pour Ma, qui s'est cassé la jambe en se rendant au village à bicyclette. Mais malgré mes formules magyques, elle dit que ça lui fait mal et que sa jambe ne guérit pas bien.

Je veux sortir d'ici. Ce n'est bon pour personne d'être une sorcière par les temps qui courent; en fait, cela nous fait beaucoup de tort. C'est comme si on avait tendu un voile au-dessus de nos têtes, pour diminuer nos pouvoirs. Je ne sais pas quoi faire. Angus ne le sait pas non plus. Il est inquiet lui aussi, mais il essaie de ne pas le montrer.

Damnation! Je croyais que le mal était derrière nous! À présent, on dirait qu'il était seulement endormi, qu'il dormait parmi nous, dans nos lits. L'hiver l'a réveillé.

— Bradhadair

Mercredi matin, alors que je mettais des *Pop-Tarts* dans le grille-pain, j'ai entendu des pas au-dessus de ma tête.

— Mary K., ai-je demandé, qui est en haut?

Tout en continuant d'écouter ses dessins animés, ma sœur a répondu :

— Maman. Elle est malade et elle reste à la maison aujourd'hui.

J'ai levé les yeux au plafond. Maman ne manquait jamais une journée de travail. Elle était reconnue pour faire visiter des maisons en pleine tempête de neige, sans se soucier du fait qu'elle puisse être grippée.

— Qu'est-ce qu'elle a? Elle allait bien hier soir, non?

Maman et papa étaient allés dîner au restaurant en tête-à-tête la veille, ce qu'ils faisaient rarement. J'avais pensé qu'ils m'évitaient, et je les avais attendus, mais à 23 h 30, j'avais renoncé et j'étais allée me coucher.

— Je ne sais pas. Peut-être a-t-elle envie de se reposer un peu.

— Hmm.

C'était peut-être ma chance : je pourrais monter tout de suite et obtenir des réponses à toutes mes questions.

D'un autre côté, je risquais d'être en retard au collège. Et Cal était là. D'autant plus que si elle avait quelque chose à me dire, elle l'aurait déjà fait, non?

J'ai soupiré. Peut-être aussi avais-je trop peur pour saisir l'occasion. Peur de ce qui pourrait m'être révélé.

Mes *Pop-Tarts* sont sorties du grille-pain d'elles-mêmes et se sont échouées sur le comptoir de la cuisine. Je les ai enveloppées dans une serviette de papier puis, donnant un petit coup de pied à ma sœur, j'ai dit :

— Allons-y. Le savoir nous attend.

Maman serait sans doute à la maison à mon retour. Je pourrais lui parler à ce moment-là.

Mary K. a pris son manteau et m'a emboîté le pas.

La confrontation n'a pas eu lieu comme je m'y étais attendue. En rentrant à la maison à la fin de l'après-midi, je me préparais à vivre une scène mémorable. Je suis montée à l'étage, j'ai ouvert la porte de la chambre de mes parents, et j'y ai trouvé ma mère... profondément endormie. Ses cheveux étaient étalés sur l'oreiller, et une fois de plus, j'ai remarqué que des fils d'argent se détachaient çà et là parmi toute cette rousseur. Était-ce mon imagination, où y en avait-il beaucoup plus que deux jours plus tôt ?

Elle semblait si fatiguée que je n'ai pas eu le courage de la réveiller.

Je suis ressortie sur la pointe des pieds. Puis Tamara a téléphoné et m'a demandé de venir chez elle pour l'aider à réviser ses notes de cours en vue d'un examen de maths. Je n'ai pas dit non. Toutes les raisons étaient bonnes pour sortir de chez moi.

J'ai soupé chez Tamara, et lorsque je suis rentrée, maman et papa étaient déjà au lit.

Dans le bureau, j'ai allumé l'ordinateur. Je voulais consulter les sites wiccans pour y trouver la signification des runes que j'avais vues sur la porte de Selene Belltower. Je me souvenais encore parfaitement de cinq de ces runes. Je voulais également revoir l'arbre généalogique de Maeve Riordan. Peut-être y trouverais-je des liens ou des renseignements que je n'avais pas remarqués la première fois.

J'attendais que l'ordinateur démarre, me rongeant les ongles et réfléchissant. Plus mes parents esquivaient mes questions, plus une part de moi s'altérait à tout jamais. Mais il me fallait aussi admettre qu'une part de moi était presque heureuse de toujours remettre à plus tard certaines révélations. Honnêtement, j'étais effrayée à l'idée de provoquer cette scène douloureuse et détestable entre eux et moi.

J'ai tapé l'adresse *html* que j'avais mémorisée. Mais plutôt que de voir apparaître l'arbre généalogique de Maeve, une fenêtre s'est ouverte sur l'écran :

La page que vous recherchez est actuellement indisponible. Le site Web rencontre peut-être des difficultés techniques, ou vous devez modifier les paramètres de votre navigateur.

J'ai froncé les sourcils. Avais-je fait une erreur en tapant l'adresse ? J'ai tapé Maeve Riordan, et entrepris une recherche. J'ai obtenu 26 entrées.

La dernière fois, il y en avait 27.

J'ai fait dérouler la liste rapidement. Pas de *html*. Le site généalogique avait-il vraiment disparu ?

J'ai essayé *Ballynigel*, ce qui m'a menée sur un site géographique. Une fenêtre s'est ouverte, représentant une carte de l'Irlande. Ballynigel était un petit point sur la côte ouest. Pas moyen de l'approcher avec le zoom.

J'ai tapé *Belwicket* et cliqué sur le bouton recherche. Rien.

Frustrée, j'ai donné un coup de poing sur le clavier. Le site avait disparu. Tout simplement disparu. Comme s'il n'avait jamais existé.

J'ai décidé de ne pas trop m'en faire. On était sans doute en train de l'améliorer, de le mettre à jour, n'importe quoi. Il serait probablement de retour dans deux jours.

Fermant les yeux un moment, j'ai penché la tête vers l'arrière et j'ai pris une profonde inspiration. Une fois calmée, j'ai entré une adresse web qu'Ethan m'avait conseillée : c'était l'adresse d'un site consacré à la magye des runes.

Quelques secondes plus tard, la page d'accueil s'est ouverte et de mystérieux symboles se sont mis à scintiller devant mes yeux. À mesure que je lisais ce qui y était inscrit, mon inquiétude s'amenuisait.

Cela faisait une bonne heure que je furetais ainsi, quand j'ai éteint l'ordinateur. Lorsque je fermais les yeux, les runes continuaient de danser derrière mes paupières closes. J'avais appris des tas de choses ce soir.

J'ai pris un stylo et j'ai tracé ma nouvelle rune favorite sur un bout de papier : Ken. On aurait dit un V couché sur le côté. Cette rune représentait le feu, ainsi que l'inspiration et la passion de l'esprit ; tellement simple, et pourtant tellement puissante.

Juste en dessous, j'ai dessiné ma deuxième rune préférée, Ur, la force.

J'ai soupiré. En ce moment, j'avais grand besoin de me sentir forte.

Jeudi après-midi, j'ai sursauté lorsque maman est entrée dans le séjour. J'écoutais Oprah tout en faisant mon devoir d'histoire.

— Allô Morgan ! a-t-elle dit, comme pour tâter le terrain. Elle n'était pas maquillée, mais elle avait attaché ses cheveux en chignon à l'aide de deux peignes et portait un survêtement brodé de feuilles. Où est Mary K. ?

— Je l'ai déposée chez Jaycee.

— Ah, bon.

Maman s'est avancée lentement jusqu'au mur du fond. Elle a soulevé un pot en terre cuite que j'avais fabriqué en troisième année, puis elle l'a remis sur l'étagère.

— C'est bizarre, ça fait au moins une semaine que je n'ai pas vu Bree?

J'ai dégluti avec difficulté, me rejouant la scène de la veille dans la cafétéria, lorsque Bree et Raven avaient annoncé qu'elles créaient leur propre cercle. J'avais bien peur que Bree ne passe dorénavant plus beaucoup de temps en ma compagnie.

Mais je n'avais pas la force d'en parler à maman pour le moment. Aussi me suis-je contentée de répondre :

— Elle doit être très occupée.

À ma grande surprise, maman n'a pas insisté. Elle a erré encore un moment dans la pièce, soulevant des objets pour les remettre aussitôt à leur place. Puis sans crier gare, elle a lancé :

— Mary K. m'a dit que tu as un petit ami.

— Hein? Oh! oui, ai-je répondu, prise de court, réalisant soudain qu'elle n'était pas au courant de ma rencontre avec Cal.

Bien sûr. Comment l'aurait-elle su? Cal et ma découverte concernant ma naissance, tout cela s'était produit presque simultanément.

— Il s'appelle Cal Blaire, ai-je dit, mal à l'aise.

Premièrement, jusque-là, nous n'avions jamais abordé le sujet des garçons. Il n'y avait jamais rien eu à en dire. Deuxièmement, je ne me sentais pas obligée de tout lui raconter. À l'évidence, elle ne s'était jamais privée de me cacher des choses.

Tout de même, cela faisait 16 ans que je la considérais comme ma mère. C'était une habitude difficile à perdre.

— Il a déménagé ici avec sa mère en septembre.

— Et que pense-t-il de la sorcellerie ? a hasardé maman, le dos appuyé contre le montant de la porte.

J'ai cligné des yeux et éteint la télé.

— Hum, il aime ça, ai-je répondu, laconique.

Maman a hoché la tête.

— Pourquoi ne m'as-tu jamais dit que j'avais été adoptée ? ai-je repris aussitôt, me disant que c'était le moment ou jamais.

Je l'ai vue ravaler sa salive, essayant de trouver une réponse acceptable.

— À l'époque, nous avions d'excellentes raisons de garder le secret, a-t-elle fini par articuler, le silence qui régnait dans la maison semblant souligner chaque syllabe.

— Tout le monde est d'avis que vous auriez dû m'expliquer les choses ouvertement, ai-je repris.

Déjà, je sentais ma gorge se serrer; j'avais les nerfs en boule.

— Je sais, a dit maman à voix basse. Je sais que tu veux — que tu as besoin — de trouver des réponses à tes questions.

— Je mérite qu'on me réponde! ai-je affirmé en élevant la voix. Cela fait 16 ans que vous me mentez, papa et toi! Que vous mentez à Mary K.! Et tout le monde autour de nous connaissait la vérité!

Elle secouait la tête, avec une expression étrange dans les yeux.

— Personne ne connaît toute la vérité, a-t-elle avoué. Pas même ton père et moi.

— Qu'est-ce que ça veut dire? ai-je demandé en croisant les bras.

Je m'accrochais à ma colère de toutes mes forces, pour ne pas fondre en larmes.

— Nous avons eu une discussion ton père et moi. Nous savons que tu cherches à connaître la vérité. Et bientôt, très bientôt, nous te raconterons tout.

— Quand?

Maman a esquissé un sourire énigmatique, comme on sourit en se rappelant un souvenir intime. Elle était si calme, et pourtant, elle paraissait tellement fragile que j'avais du mal à rester fâchée. Je n'avais plus aucune prise sur les événements, je ne pouvais plus me battre, et cela me frustrait encore plus.

— Cela fait 16 ans, a-t-elle repris doucement. Accorde-nous quelques jours de sursis. J'ai besoin d'un temps de réflexion.

Je la regardais sans y croire, mais avec le même sourire énigmatique, elle m'a effleuré la joue du dos de la main, puis elle a quitté la pièce.

Sans savoir pourquoi, je me remémorais les soirs où j'allais rejoindre mes parents dans leur lit, quand j'étais petite. J'avais l'habitude de me tortiller jusqu'à ce que je me retrouve entre eux, et de tomber endormie aussitôt. Rien, jamais, ne m'avait paru aussi réconfortant. Maintenant, cela me semblait étrange. Chaque jour, je révisais mes souvenirs d'enfance.

Lorsque le téléphone a sonné, je l'ai regardé comme une bouée de sauvetage. Je savais que c'était Cal.

— Allô, a-t-il dit, avant même que j'aie prononcé un mot, et sa voix était comme un baume sur mes souffrances. Tu me manques. Est-ce que je peux passer te voir?

En l'espace d'une seconde, je suis passée du plus total désespoir à la joie la plus pure.

— Je préférerais venir; est-ce que je peux?

— Ça ne te dérange pas?

— Oh, bon sang, non. J'arrive, OK?

— Super! a fait Cal avant de raccrocher.

J'ai fui la maison, pressée de retrouver mon bonheur.

* * *

Cal m'attendait sur le pas de la porte. Il faisait déjà presque noir et l'air était lourd et humide, comme si la neige se préparait à arriver tôt cette année.

— Je ne pourrai pas rester très longtemps, ai-je dit, reprenant mon souffle.

— Merci d'être venue a-t-il dit en me faisant entrer. J'aurais pu aller chez toi.

Je secouais la tête, tout en me débarrassant de mon manteau.

— C'est plus intime ici. Est-ce que ta mère est là ?

— Non. Elle est à l'hôpital avec un membre de son cercle. Il faudra que j'aille lui donner un coup de main plus tard.

Pendant que nous escaladions les marches menant à sa chambre, j'ai pris conscience que nous étions seuls, tous les deux, dans cette maison immense. Un frisson d'anticipation m'a parcouru l'échine.

— J'ai oublié de poser la question à Robbie aujourd'hui, a repris Cal, en ouvrant la porte du grenier menant à sa chambre. Va-t-il avoir de nouvelles lunettes ?

— Je ne sais pas. Il doit passer d'autres examens.

Même s'il faisait plutôt chaud dans la chambre de Cal, je me frottais les bras. Je me sentais bien, là, avec lui. Le reste de ma vie avait beau être sens dessus dessous, ici, je savais que j'avais du pouvoir. Et je savais que Cal comprenait. Cela me donnait une agréable sensation de soulagement.

En regardant autour de moi, je me rappelais le soir où nous avions fait un cercle et où j'avais vu les auras de chacun. Ça avait été tellement séduisant d'être touchée par la magye. Comment une personne sensée aurait-elle pu ne pas vouloir pousser l'expérience un peu plus loin ?

Derrière moi, Cal m'a effleuré le bras. Lorsque je me suis retournée, il m'a souri.

— J'aime t'avoir ici avec moi. Et je suis content que tu sois venue. Je voulais te donner quelque chose.

Je l'ai regardé, interloquée.

— Tiens, a-t-il ajouté, dénouant le cordon de cuir qu'il portait autour du cou.

Son pentacle d'argent scintillait en se balançant sous la lumière de la lampe. Ce pendentif avait été l'une des premières choses que j'avais remarquées chez lui, et je me rappelais l'avoir trouvé très beau. J'ai fait un pas en avant, et Cal l'a attaché à mon cou. Tombant juste sous mes clavicules, sa forme se découpait sur ma chemise.

— Merci, ai-je murmuré. C'est beau.

Puis, je l'ai attiré vers moi et nous nous sommes embrassés.

— Comment c'est à la maison ? a demandé Cal au bout d'un moment, me serrant toujours contre lui.

— Étrange, ai-je répondu, sentant que je pouvais tout lui dire.

Puis, j'ai reculé et fait quelques pas dans la chambre.

— Je n'ai presque pas vu mes parents. Aujourd'hui, maman était à la maison. Je lui ai posé des questions sur mon adoption, mais elle a répondu qu'elle avait besoin de temps.

J'ai secoué la tête, en regardant la bibliothèque de Cal, les rangées de livres sur la sorcellerie, les envoûtements, les herbes, les runes... j'avais envie de m'asseoir et de lire tranquillement de longues heures durant.

— Je suis furieuse à chaque fois que je songe à la manière dont ils m'ont menti pendant toutes ces années, lui ai-je avoué, serrant les poings. Mais aujourd'hui, ma mère m'a semblé… je ne sais pas. Plus âgée. Fragile en quelque sorte.

Je me suis arrêtée tout près du lit de Cal. Il s'est approché de moi et m'a caressé le dos. J'ai pris sa main et l'ai portée à ma joue.

— Une part de moi me dit qu'ils ne sont pas ma vraie famille, ai-je expliqué. Et une autre part de moi pense, bien sûr qu'ils sont ma vraie famille. Ils se comportent comme ma vraie famille.

Il a fait signe que oui, sa main glissant de mon épaule jusqu'à mon avant-bras.

— C'est étrange, a-t-il renchéri, lorsque des personnes que tu crois connaître te paraissent tout à coup totalement différentes.

On aurait dit qu'il parlait d'expérience.

— Comme mon père, a-t-il poursuivi. Il était le grand prêtre du cercle de ma mère lorsqu'ils étaient mariés. Et il a rencontré une autre femme, une autre sorcière, dans leur assemblée. Maman et moi, nous avions l'habitude de faire des blagues méchantes ; nous disions qu'elle l'avait ensorcelé mais, à vrai dire, au bout du compte, je crois que c'était sans doute parce qu'il l'aimait… davantage.

Je percevais la blessure dans sa voix et j'ai appuyé ma tête contre sa poitrine, pour mieux le serrer dans mes bras.

— Ils vivent dans le nord de l'Angleterre aujourd'hui, a repris Cal. Cette femme avait un fils de mon âge, d'un premier mariage, et ils ont eu, je crois, deux autres enfants ensemble.

Quand il parlait, je sentais sa poitrine vibrer contre mon oreille

— C'est affreux.

— Je ne sais pas. Je crois que je me suis fait à cette idée maintenant, a-t-il avoué en respirant lentement. Et je me dis qu'ainsi va la vie. Rien n'est statique ; tout change constamment. Le mieux à faire est de changer au même rythme et de te servir de tes talents.

Je me taisais, réfléchissant à ma propre situation, lorsque Cal a repris :

— Je crois que ce qui importe, c'est de passer outre à la colère et aux sentiments négatifs, car ils entravent la pratique de la magye. C'est difficile, mais parfois, il suffit de décider de lâcher prise.

Il s'est tu, et nous sommes restés là, enlacés pendant un long moment. Finalement, à contrecoeur, j'ai jeté un œil à ma montre.

— Parlant de lâcher prise, il faut que je me sauve.

— Déjà? a gémi Cal, se penchant pour m'embrasser, tout en murmurant des mots incompréhensibles.

— Qu'est-ce que tu as dit? ai-je demandé, faisant un effort pour me détacher de lui.

— Rien, a-t-il répondu en secouant la tête. J'aurais dû me taire.

— Quoi? ai-je insisté, soudain inquiète. Qu'est-ce qui ne va pas?

— Tout va bien. Mais… j'ai soudain pensé à *mùirn beatha dàn*. Tu sais.

Je le regardais sans comprendre.

— Tu sais, a-t-il répété une seconde fois, l'air un peu embarrassé. *Mùirn beatha dàn,* tu as bien dû lire là-dessus, non?

J'ai fait signe que non.

— Qu'est-ce que c'est?

— Hum, l'âme sœur, a expliqué Cal. La tendre moitié. La personne qui t'est prédestinée.

Mon cœur a failli s'arrêter de battre, et mon souffle s'est figé dans ma gorge. J'étais muette.

— Dans la forme de Wicca que je pratique, a-t-il repris, nous croyons que pour chaque sorcière, il existe une âme sœur authentique qui est également une sorcière de sang; homme ou femme, peu importe. Ils sont connectés l'un à l'autre et ils s'appartiennent. En principe, ces deux personnes ne peuvent être vraiment heureuses qu'ensemble. Il a haussé les épaules. Cette idée m'est venue… à l'instant, pendant qu'on s'embrassait.

— Je n'en ai jamais entendu parler, ai-je murmuré. Et comment peut-on savoir si on a rencontré son âme sœur?

Cal a eu un rire ironique.

— C'est là que les choses se compliquent. Car ce n'est pas toujours si facile. Tu vois, la volonté des gens est souvent très forte : ils peuvent choisir d'être avec quelqu'un, vouloir croire à tout prix que cette personne est leur *mùirn beatha dàn*, alors qu'ils se trompent et refusent tout simplement de l'admettre.

Je me demandais s'il pensait à sa mère et à son père.

— Y a-t-il une façon sûre de savoir?

— J'ai entendu parler de rituels magyques que l'on peut accomplir; des rituels complexes. Mais le plus souvent, les sorcières se fient uniquement à leurs sentiments, à leurs rêves et à leur instinct. Ils sentent que telle personne est la bonne et ça leur suffit.

Je me sentais euphorique, comme si j'allais me mettre à léviter et m'envoler.

— Et, crois-tu... que, peut-être, nous sommes connectés comme des âmes sœurs? ai-je osé demander, haletante.

— Je crois que oui, a-t-il répondu dans un souffle rauque, me caressant la joue.

J'ai écarquillé les yeux.

— Alors, qu'est-ce qu'on fait maintenant ? ai-je lancé, et Cal s'est mis à rire.

— On attend ; on reste ensemble. Il faut
finir de grandir sans jamais se quitter.

Cette idée était si extraordinaire, séduisante et merveilleuse, que j'avais envie de
crier : « je t'aime ! Nous serons toujours
ensemble ! Je te suis destinée, et tu m'es
destiné ! »

— Comment dis-tu déjà ?

— *Mùirn beatha dàn*, a-t-il articulé
lentement.

Cette expression me paraissait
ancienne, charmante et mystérieuse.

Je l'ai répétée après lui.

— Oui, ai-je dit, et nous nous sommes
embrassés une fois de plus.

De longues minutes après, je l'ai
repoussé à contrecœur :

— Oh ! non, il faut vraiment que je m'en
aille ! Je vais être en retard.

— OK.

Nous sommes sortis de sa chambre.
Cela m'était difficile de quitter cet endroit
où tout semblait si parfait. Surtout lorsque

je pensais qu'il me faudrait rentrer chez moi.

De nouveau, j'ai pensé à la première fois que j'étais venue dans la chambre de Cal, lorsque le cercle s'y était réuni.

— Es-tu contrarié que Beth, Raven et Bree aient abandonné notre cercle ? lui ai-je demandé en descendant l'escalier.

— Oui et non, a-t-il répondu après un moment de réflexion. Non, parce que je crois qu'il ne faut pas essayer de garder quelqu'un dans un cercle contre sa volonté ou si la personne n'est pas sûre d'elle-même. Cela produit de l'énergie négative. Oui, parce que ces trois filles avaient de fortes personnalités, et elles ajoutaient quelque chose à notre cercle, ce qui était bon pour nous. Il ne nous reste plus qu'à attendre de voir la suite des choses, a-t-il ajouté avec un haussement d'épaules

J'ai enfilé mon manteau, même si j'aurais préféré ne pas sortir dans le froid. Dehors, les arbres étaient presque nus, et les feuilles qui restaient étaient d'un ocre terne partout où se portait mon regard.

— L'automne tente de se changer en hiver, a dit Cal, dont le souffle chaud formait de la buée dans l'air froid.

En voyant sa poitrine se gonfler puis retomber, une bouffée de désir m'a parcouru tout le corps. J'éprouvais une envie folle de le toucher, de passer mes doigts dans ses cheveux, dans son dos, d'embrasser sa gorge et son torse. Je voulais être tout contre lui. Être sa *mùirn beatha dàn*.

Malgré mon désir, j'ai couru jusqu'à ma voiture, fouillant mes poches pour retrouver les clés de contact, laissant Cal seul sous la lumière du porche. J'avais le cœur serré et triste, et je me sentais débordante de magye.

12

La beauté
extérieure

Imbolc, 1982

Oh! Déesse, Déesse, viens à mon secours. Je t'en prie, aide-moi, Mathair, toi qui brandis ta main noircie par les cendres fumantes. Mon petit Dagda. Mon bébé à moi.

Oh! Déesse, je vais m'effondrer; mon âme est brisée. Je ne pourrai supporter cette douleur.

— Bradhadair

Ce soir-là, pendant le dîner, mes parents se sont efforcés d'avoir l'air normal, mais je continuais à les regarder, les questionnant des yeux et, à l'heure du dessert, nous avions tous le nez dans nos assiettes. De toute évidence, Mary K. était troublée par ce silence, et aussitôt le repas terminé, elle s'est enfermée dans sa chambre et a mis la musique à tue-tête. À voir vibrer le plafond, on devinait qu'elle dansait pour évacuer son stress.

Je ne supportais plus d'être là. Si seulement Cal n'avait pas été obligé de donner un coup de main à sa mère. Sous le coup de l'impulsion, j'ai appelé Janice et suis allée les rejoindre, elle, Ben Reggio et Tamara, au cinéma de Red Kill. Nous avons vu un film d'action stupide où se multipliaient les poursuites à motocyclette. Dans la noirceur de la salle, je me répétais sans arrêt : *mùirn beatha dàn*.

Samedi matin, papa est sorti pour ramasser les feuilles et tailler les arbustes et les arbres, dans l'espoir qu'ils ne subissent pas trop de dommages pendant les tempêtes de verglas. Après le déjeuner, maman est partie rejoindre son club féminin.

J'ai mis mon manteau et suis sortie pour parler à mon père :

— Quand allez-vous enfin vous décider à me dire la vérité ? ai-je demandé sur un ton neutre. Allez-vous continuer à prétendre qu'il ne s'est rien passé ?

Il s'est arrêté, s'est appuyé sur son râteau.

— Non, Morgan, a-t-il fini par dire. On aurait beau le vouloir, on ne pourrait pas agir ainsi.

Sa voix était douce et, une fois encore, j'ai senti ma colère se dégonfler. Mais il n'était pas question que je renonce, et j'ai donné un coup de pied dans un amas de feuilles mortes.

— Eh bien ? Où m'avez-vous trouvée ? Qui étaient mes parents ? Les avez-vous connus ? Que leur est-il arrivé ?

Papa a tressailli, comme si je l'avais blessé physiquement en lui posant toutes ces questions.

— Je sais qu'il faut que nous ayons une conversation à ce sujet, a-t-il dit, d'une voix faible et râpeuse. Mais… j'ai besoin de plus de temps.

— Pourquoi ? ai-je explosé, levant les bras au ciel. Qu'est-ce que vous attendez ?

— Je suis désolé, ma chérie, a-t-il poursuivi, regardant le bout de ses chaussures. Je sais que nous avons fait des tas d'erreurs depuis toutes ces années. Mais nous avons fait de notre mieux, Morgan… Il avait levé les yeux vers moi. Nous avons enterré cette histoire il y a 16 ans. Ce n'est pas facile de la ressortir. Je sais que tu as besoin de réponses, et j'espère que nous pourrons te les donner. Mais ce n'est pas facile. Et au bout du compte, tu souhaiteras peut-être ne jamais avoir découvert la vérité.

Je l'ai regardé, incrédule, puis j'ai secoué la tête et suis rentrée. Que devais-je faire?

Samedi soir, j'ai déposé Mary K. chez sa meilleure amie Jaycee. Elles avaient rendez-vous au cinéma avec Bakker et une poignée de copains. De mon côté, je devais me rendre chez Matt, pour retrouver les autres membres de notre cercle.

— Où est la voiture de Bakker? ai-je demandé, en la déposant devant la maison de Jaycee.

— Ses parents la lui ont confisquée pour une semaine, parce qu'il a échoué à

un examen d'histoire, a répondu Mary K.,
en faisant la grimace.

— Oh, dommage. Bon, amuse-toi
bien. Et ne fais rien que je ne ferais pas
moi-même.

Mary K. a levé les yeux au ciel.

— OK, a-t-elle fait sèchement. Note à
moi-même : ne pas danser toute nue, ne pas
faire de sorcellerie. Merci de m'avoir
emmenée.

Elle est sortie en claquant la portière, et
je l'ai regardée entrer chez Jaycee.

J'ai repris la route vers la banlieue, en
suivant les directions que Matt m'avait
données. Dix minutes plus tard, j'ai
garé ma voiture en face d'une maison de
plain-pied en brique, et Jenna est venue
m'ouvrir.

— Allô ! a-t-elle fait sur un ton enjoué.
Entre. Nous sommes dans le salon. Je ne
me rappelle pas... es-tu déjà venue ici ?

— Non, ai-je répondu, en accrochant
mon manteau. Les parents de Matt sont-ils
là ?

Jenna a secoué la tête.

— Son père assistait à un congrès médical en Floride et sa mère l'a accompagné. La maison nous appartient.

— Génial, ai-je dit en lui emboîtant le pas.

Nous sommes entrées dans un grand salon : un rectangle blanc avec un grand mur de verre. Ce mur donnait sans doute sur la cour arrière, mais il faisait déjà noir et tout ce que nous pouvions voir, c'était notre propre reflet.

— Salut Morgan ! a dit Matt. Bienvenue chez moi.

Il était vêtu d'un vieux chandail de rugby et d'un jeans.

— Salut Morgan ! a répété Sharon en se rapprochant. Matt, c'est quoi tous ces meubles bizarres ?

— Ma mère a eu un coup de cœur pour le style des années 1960.

Écrasé dans un vieux sofa de peluche rouge, Ethan a étiré le cou. On aurait dit que le sofa était sur le point de l'avaler. Une lampe sur pied blanche pendait au-dessus de sa tête.

— J'ai l'impression de faire un voyage dans le passé, s'est exclamé Ethan. Il ne manque qu'un coin conversation.

— Il y en a un dans le bureau, a dit Matt, petit sourire en coin.

Au son de la sonnette d'entrée, j'ai eu un frisson de reconnaissance avant même que Jenna n'aille répondre. Cal, ai-je pensé, heureuse et excitée. *Mùirn beatha dàn*. Puis, je l'ai entendu dire bonjour à Jenna. Toutes mes cellules nerveuses étaient en éveil au son de sa voix et au souvenir de la veille, dans sa chambre.

— Quelqu'un veut du thé, de l'eau, du soda? demandait Matt lorsque Cal est arrivé, avec son gros cartable de cuir usé. On n'a pas d'alcool à la maison… mon père est dans les AA.

Sa grande franchise m'a donné un choc.

— De l'eau, c'est parfait.

M'avançant vers Cal, je lui ai donné un petit baiser, tout en m'émerveillant de mon aplomb.

On sonnait encore à la porte. Au bout d'un moment, Matt était de retour dans la pièce avec nos consommations et Robbie sur les talons.

— Salut la compagnie ! a lancé ce dernier.

J'étais subjuguée par sa transformation. J'aurais sans doute dû m'y faire, mais non. C'était comme si une jeune star de cinéma lui avait usurpé sa personnalité, sans oublier sa maladresse en société.

— Où sont tes lunettes ? lui ai-je demandé.

Tout en faisant sauter le bouchon d'une bouteille de soda, il a répondu, en articulant lentement :

— C'est bizarre, mais je n'ai plus besoin de lunettes.

— Comment est-ce possible ? Tu as eu de la chirurgie au laser et tu ne m'en as pas parlé ?

— Non. Tu le sais, je suis allé chez l'oculiste cette semaine. Apparemment, ma vision s'est améliorée. J'avais mal à la tête parce que je n'avais pas besoin de lunettes, et que les verres faisaient forcer mes yeux.

Cela n'avait pas l'air de lui faire plaisir, et j'ai mis un bon moment avant de me rendre compte que tout le monde me regardait.

— Non! me suis-je écriée. Je ne lui ai pas jeté un autre sort. Je le jure! J'avais promis de ne pas recommencer et j'ai tenu ma promesse! Je n'ai jeté de sort à personne!

Robbie me fixait de ses grands yeux gris bleu, qui n'étaient plus dissimulés derrière de grosses lentilles déformantes.

— Morgan, a-t-il dit.

— Je te le jure, ai-je repris en levant la main droite.

Il me regardait, l'air sceptique.

— Robbie, il faut que tu me croies!

— Comment est-ce possible, sinon? a demandé Robbie qui semblait en butte à des pensées contradictoires. La vision ne s'améliore pas ainsi. Écoute, mes globes oculaires ont changé de forme. On m'a examiné les yeux pour vérifier si une tumeur exerçait une pression sur mon cerveau.

— Jésus! a marmonné Matt.

— Je ne sais pas, ai-je répondu, impuissante. Mais ce n'était pas moi.

— C'est incroyable, a repris Jenna, aba-sourdie. Est-ce que quelqu'un d'autre aurait pu lui jeter un sort?

— Moi, j'aurais pu, a dit Cal. Mais je ne l'ai pas fait. Morgan, te souviens-tu des mots exacts de ton incantation?

— Oui. Mais j'ai ensorcelé la potion que je lui ai donnée, pas lui.

— C'est vrai, a dit Cal, l'air songeur. Néanmoins, si la potion était censée agir sur lui d'une certaine manière... quelle for-mule magique as-tu prononcée?

J'ai réfléchi avant de réciter doucement :

— Hum, *Parce que beau au-dedans égale beau au dehors, cette décoction chassera tes imperfections. Cette eau régénératrice ton teint purifiera, et beau à jamais tu seras.*

— C'est tout? a demandé Sharon. Bon Dieu, pourquoi ne l'as-tu pas fait plus tôt?

— Sharon! l'a réprimandée Robbie, exaspéré.

— OK! OK! a dit Cal. Il y a quelques possibilités. La première, c'est que Robbie aurait pu jouir d'une guérison spontanée des yeux due à quelque obscur miracle.

Sur ce, Evan a grogné et Sharon lui a lancé un regard désapprobateur.

— Il se pourrait également, a repris Cal, que la formule magique de Morgan n'ait pas été assez spécifique et qu'elle ne se soit pas limitée au teint de Robbie. Sa formule visait à éliminer les défauts, les imperfections. Sa vision était imparfaite; à présent, elle est parfaite. Comme sa peau.

Je me faisais à peine à cette idée, dont je mesurais l'énormité, quand Ethan a lancé tout joyeux :

— Super! J'ai hâte de voir si ça va changer sa personnalité!

Jenna n'a pu s'empêcher de glousser. Les jambes molles, je me suis laissée choir dans un fauteuil en forme de main ouverte.

— La troisième possibilité, a poursuivi Cal, c'est que quelqu'un que nous ne connaissons pas ait jeté un sort à Robbie. Mais cela est peu probable. Pourquoi un étranger aurait-il voulu faire ça? Non, je serais plutôt porté à croire que la formule magique de Morgan a continué d'agir sur Robbie.

— Ça fait peur, ai-je articulé en fris-
sonnant. Est-ce que je possède vraiment ce
genre de pouvoir ?

— C'est plutôt inhabituel. Et c'est pourquoi tu n'es pas censée faire de la magye
tant que tu ne connaîtras pas la portée de
tes pouvoirs.

Je me sentais terriblement mal.

— Quand on commencera à étudier les
sortilèges, je te montrerai quoi faire pour
en limiter la portée. Les limites sont peut-
être ce qu'il y a de plus important à établir,
en plus de savoir comment canaliser tes
pouvoirs. Lorsque tu fais de la magye, tu
dois imposer des limites de temps, d'effets,
d'objectifs, de durée et de cible, a expliqué
Cal.

— Oh ! non, ai-je dit en mettant mes
mains sur mon visage. Je n'ai rien fait de
tout cela.

— Au fait, maintenant que j'y pense, tu
as banni les limites à la première réunion
de notre cercle. Tu te souviens ? m'a
demandé Cal. Cela pourrait aussi avoir eu
une incidence.

— Alors, qu'est-ce qu'on fait maintenant, s'est inquiété Robbie. Dois-je m'attendre à d'autres changements?

— Probablement pas beaucoup plus, l'a rassuré Cal. Pour commencer, même si Morgan est déjà très puissante, elle n'est qu'une débutante. Elle ne connaît pas encore la portée réelle de ses pouvoirs.

J'étais contente qu'il n'ait pas mentionné que j'étais une sorcière de sang. Je préférais que les autres ne soient pas mis au courant pour le moment.

— De plus, a-t-il repris, d'habitude ce genre d'envoûtement est autolimitatif. Je veux dire : la potion était destinée à ton visage, et tu l'as appliquée seulement sur ton visage, hein? Tu n'en as pas bu ou quoi que ce soit d'autre?

— Bon sang, non! s'est exclamé Robbie.

Cal a haussé les épaules.

— Donc, elle n'agit que sur cette région de ton corps, sans oublier tes yeux. C'est inhabituel, mais je suppose que ce n'est pas impossible.

— Je ne peux le croire, ai-je gémi en me cachant le visage. Je suis une idiote. Je n'arrive pas à croire que j'aie fait cela. Je suis tellement, tellement désolée, Robbie.

— Désolée pour quoi ? a demandé Ethan. Maintenant, il pourra devenir pilote de l'air.

Sharon riait sous cape.

— Donc, tu crois que ça va s'arrêter là, a insisté Robbie.

— Je ne sais pas, a dit Cal en souriant. As-tu eu l'impression d'être particulièrement brillant ces derniers jours ? Cela pourrait agir sur ton cerveau.

Désespérée, j'ai lâché une plainte.

— Je blaguais, a dit Cal, me donnant un petit coup de coude. C'est sans doute terminé. Arrête de t'en faire.

Puis, tapant dans ses mains :

— Bon, je crois qu'il est temps de commencer à parler des sortilèges et des limites !

Je n'arrivais pas à en rire, bien que les autres ne se gênaient pas. Puis, Cal a enchaîné :

— C'est notre première assemblée sans Bree, Raven et Beth.

— Elles vont me manquer, a dit Jenna doucement, tout en me regardant.

Elle croyait peut-être que c'était à cause de moi qu'elles avaient abandonné le cercle.

Cal a fait signe que oui.

— Oui, à moi aussi. Mais peut-être pourrons-nous mieux nous concentrer sans elles. On verra bien.

Nous nous sommes assis en cercle sur le plancher.

— Pour commencer, parlons un peu des clans. Vous savez déjà que chacun possède des caractéristiques qui lui sont propres. Les Brightendale étaient des guérisseurs. Les Woodbane — le clan obscur — luttaient vraisemblablement pour obtenir le pouvoir à tout prix.

Cela a fait rire Robbie, mais je ne voyais pas ce qu'il y avait de drôle là-dedans. La seule pensée des Woodbane me donnait froid dans le dos.

— Les Burnhide étaient connus pour faire de la magie à l'aide des cristaux et des pierres précieuses. Les Leapvaughn étaient des joueurs de tours. Les Vikroth étaient des guerriers. Et ainsi de suite, a conclu Cal, faisant le tour du cercle des yeux. Eh bien, tout comme chaque clan possédait des qualités particulières, chaque clan avait tendance à utiliser des runes particulières. Je pense donc que le temps est venu d'étudier certaines runes.

Il a ouvert son grand cartable et en a sorti un paquet de fiches. Il les a étalées devant nous : une grosse rune était dessinée sur chacune des fiches.

— Les fiches des runes ! me suis-je exclamée.

Cal a hoché la tête

— En gros, c'est ça. Les runes constituent un moyen rapide de contacter une source de pouvoir ancienne et profonde. Ce soir, je veux seulement vous les montrer et vous demander de vous concentrer dessus. Chacun de ces symboles possède plusieurs significations. Ils sont tous là pour vous, si vous êtes assez ouverts pour les saisir.

Nous observions tous, fascinés, pendant qu'il nous montrait les fiches une par une, lisant les noms de chaque rune et nous expliquant ce qu'elle représentait traditionnellement.

— Chaque symbole porte différents noms. Tout dépend si vous travaillez selon la tradition nordique, la tradition germanique ou la tradition gaélique. Plus tard, nous verrons quelles runes sont associées à chacun des clans.

— C'est tellement beau, a dit Sharon. J'aime l'idée que l'on s'en soit servi pendant des milliers d'années.

Ethan s'est tourné vers elle en faisant signe que oui. J'ai vu leurs regards se croiser avec une certaine insistance.

Qui aurait pu dire que Sharon Goodfine trouverait la Wicca belle? Ou qu'Ethan oserait s'intéresser à elle? Non seulement la sorcellerie nous révélait à nous-même, elle nous révélait également aux autres.

— Faisons un cercle, a dit Cal.

13

La lumière
des étoiles

17 mars 1982

Jour de la Saint-Patrick, dans la ville de New
York. En bas, les New-Yorkais célèbrent une fête
importée de chez nous, mais je ne peux y prendre
part. Angus est sorti pour chercher du travail. Je suis
assise à la fenêtre et je pleure, mais seule la Déesse le
sait. Je n'ai plus de larmes à pleurer.

Tout ce que je connaissais et aimais a disparu.
Mon village a été rasé par un incendie. Ma mère et
mon père sont morts, bien que j'aie encore du mal à
le croire. Mon petit chat Dagda. Mes amis. Belwicket
a été rasé, notre chaudron fracassé, nos balais brûlés,
nos herbes sont parties en fumée au-dessus de nos
têtes.

Comment cela a-t-il pu arriver? Comment se fait-il que je n'aie pas été victime au même titre que les autres? Pourquoi Angus et moi sommes-nous les seuls survivants?

Je déteste New York; je déteste tout dans cette ville. Le bruit m'assourdit. Je ne peux rien y respirer de vivant. Je ne peux sentir la mer ou l'entendre en bruit de fond, comme une berceuse. Il y a des gens partout, serrés comme des sardines. La cité est crasseuse; ses habitants sont ingrats et vulgaires. J'ai le mal du pays.

Il n'y pas de magye dans cet endroit.

Et pourtant, s'il n'y a pas de magye, il n'y a sans doute pas de vrai mal non plus?

— *M. R.*

Nous avons purifié notre cercle avec du sel, puis nous avons invoqué la terre, l'air, l'eau et le feu à l'aide d'un bol de sel, d'un bâton d'encens, d'un bol d'eau et d'une chandelle. Cal nous a montré les runes symbolisant ces éléments, et nous nous sommes efforcés de les mémoriser.

— Essayons de faire monter l'énergie et de la canaliser, a suggéré Cal. Nous essaierons de la concentrer sur nous-mêmes, et nous limiterons ses effets à une bonne nuit de sommeil et à notre bien-être général. Quelqu'un aurait-il un problème particulier sur lequel il voudrait travailler ?

En disant cela, il a croisé mon regard, et j'ai su aussitôt que nous songions tous les deux à mes parents. Mais Cal s'est fait la réflexion que c'était à moi de demander de l'aide devant tout le monde, et je me suis tue.

— Dans le genre : faites que ma demi-sœur cesse de me tomber sur les nerfs ? a tenté Sharon.

Je ne savais même pas qu'elle avait une demi-sœur. J'étais assises entre Jenna et Sharon. Leurs mains étaient petites et douces dans les miennes.

Cal est parti à rire.

— Tu ne peux pas demander de changer les autres. Mais tu pourrais demander que cela soit plus facile pour *toi* de t'entendre avec ta demi-sœur.

— Mon asthme qui a empiré depuis que j'ai pris froid, a dit Jenna à son tour.

Je l'avais souvent entendue tousser, mais j'ignorais qu'elle avait un problème d'asthme. Jenna, Sharon et Bree faisaient partie des meneuses du collège. C'étaient des têtes fortes, et je n'avais jamais pensé qu'elles pouvaient avoir des problèmes ou éprouver des difficultés. À tout le moins, pas avant que la Wicca ne fasse son entrée dans nos vies.

— OK! L'asthme de Jenna, a conclu Cal. Autre chose?

Personne n'a parlé.

Cal a baissé la tête, fermé les yeux, et nous avons fait de même. La pièce était saturée de nos respirations et, petit à petit, les minutes passant, j'ai senti que nos respirations s'accordaient les unes aux autres pour s'aligner parfaitement, au point que nous inspirions et expirions à l'unisson.

Puis Cal, d'une voix riche et légèrement rauque, a repris :

Loués soient les animaux, les plantes et
toutes les choses vivantes.
Loués soient la terre, le ciel, les nuages
et la pluie.

Loués soient les peuples,
Ceux qui appartiennent à la wicca et
ceux qui n'en sont pas.
Loués soient la Déesse et le Dieu,
Et tous les esprits qui nous viennent en
aide.
Louées soient toutes choses. Nous élevons nos cœurs,
Nos voix, nos esprits vers la Déesse et
le Dieu.

Lorsque nous avons commencé à tourner dans le sens des aiguilles d'une montre, ces paroles se sont élevées et se sont transformées en chant. Nous sautions et dansions à l'intérieur du cercle, et notre chant s'est transformé en cri de joie, qui a rempli la pièce et l'atmosphère autour de nous. Je riais à perdre haleine ; je me sentais heureuse, légère et en sécurité. Ethan était souriant mais attentif. Il avait les joues rouges, et les boucles souples de ses cheveux semblaient bondir à chacun de ses pas. Sharon, jolie et insouciante, faisait virevolter ses cheveux noirs soyeux. La blonde Jenna ressemblait à la reine des fées, tandis que Matt demeurait sombre et sérieux. Robbie bougeait avec une grâce et une coordination toutes nouvelles malgré le fait que nous tournions de plus en plus vite. La seule chose qui manquait dans ce cercle, c'était le visage de mon amie Bree.

J'ai senti une bouffée d'énergie nous entourer, prendre de l'ampleur et de l'épaisseur, jusqu'à envelopper tout notre cercle. Le plancher du salon était chaud et doux sous mes pieds. J'avais l'impression que si je lâchais la main de Jenna et de Sharon, je m'envolerais par le plafond pour disparaître dans le firmament. En regardant au-dessus de moi, sans cesser de chanter, j'ai vu le plafond blanc vaciller et se dissoudre pour laisser place à la nuit indigo et aux milliers d'étoiles blanches et jaunes qui illuminaient le ciel d'un éclat surnaturel. Ébahie, je fixais le ciel. Je voyais soudain les possibilités infinies de l'Univers, là où une minute plus tôt, il n'y avait qu'un plafond ordinaire. J'aspirais à m'élever pour pouvoir toucher les étoiles et, sans hésiter, j'ai lâché les mains que je tenais et j'ai lancé mes bras vers le ciel.

Au même instant, tout le monde a levé les mains au ciel, et le cercle s'est immobilisé, tandis que cette spirale d'énergie continuait de nous envelopper, toujours plus puissante. Je touchais les étoiles, tout en sentant l'énergie exercer une pression sur ma colonne vertébrale.

— Emmagasine cette énergie! m'a conseillé Cal, et automatiquement, j'ai ramené mon poing sur ma poitrine.

J'ai inspiré une lumière chaude et blanche et senti mes soucis se dissiper. Je me balançais sur mes pieds et de nouveau, j'ai voulu toucher les étoiles. Levant les bras au ciel, j'ai senti que j'effleurais une étincelle minuscule et délicate, chaude et piquante sous mes doigts. On aurait dit une étoile, et j'ai baissé les bras.

Cette lumière était dans mes mains, et j'ai regardé les autres en me demandant s'ils pouvaient la voir. Puis Cal s'est approché, parce que je canalise toujours trop d'énergie et qu'il était temps que je revienne sur terre. Mais cette fois-ci, je me sentais bien, pas trop étourdie, pas

nauséeuse, simplement heureuse, le cœur
léger et émerveillée.

— Ouah! a murmuré Ethan en me
regardant.

— Qu'est-ce que c'est? a demandé
Sharon.

— Morgan! s'est exclamée Jenna, esto-
maquée, respirant difficilement.

Sa respiration était rapide et
superficielle.

En me tournant vers elle, j'ai senti que
je pouvais accomplir n'importe quoi.

Allongeant le bras, j'ai pressé la lumière
sur sa poitrine. Elle a sursauté en faisant
un petit *Ah!* et j'ai tracé une ligne sous ses
clavicules, d'une épaule à l'autre. Puis, fermant les yeux, j'ai mis ma main à plat sur
son sternum, et j'ai senti la lumière d'étoile
se dissoudre en elle. Elle a inspiré de nouveau et a titubé; Cal a avancé la main sans
toutefois me toucher. J'ai senti les poumons
de Jenna se gonfler sous mes doigts pendant l'inspiration. J'ai senti l'alvéole micros-
copique s'ouvrir pour laisser passer
l'oxygène, et les capillaires minuscules
absorber l'oxygène. Je sentais tout cela

comme si, des plus petites aux plus grosses veines, les muscles de ses bronches prenaient de l'expansion, s'assouplissant, se détendant, absorbant l'oxygène, comme par un effet de dominos.

Jenna haletait.

J'ai ouvert les yeux et souri.

— Je respire, a dit Jenna lentement en se touchant la poitrine. Je commençais à me sentir oppressée, je savais que j'aurais besoin de mon inhalateur après notre rituel, et je ne voulais pas m'en servir devant tout le monde.

Les yeux de Jenna cherchaient ceux de Matt, et il s'est approché pour la prendre par la taille.

— Elle a ouvert mes poumons et y a fait entrer de l'air à l'aide de cette lumière, a résumé Jenna, l'air médusée.

— C'est bon, arrête, a dit Cal, me prenant la main doucement. Arrête de toucher les choses. Comme le soir de Samhain, peut-être devrais-tu t'étendre et revenir sur terre.

— Je ne veux pas revenir sur terre, ai-je répondu clairement, en lui serrant la main.

Je veux conserver cette énergie. J'ai agité les doigts car je voulais toucher autre chose pour voir ce qui se passerait.

Cal m'a regardée fixement et j'ai vu un éclair dans ses yeux.

— Je veux seulement garder cette sensation, ai-je expliqué.

— Ça ne peut pas durer toujours. L'énergie ne persiste pas; elle doit aller quelque part. Tu ne veux pas faire le tour en supprimant des choses.

J'ai ri.

— Je ne veux pas?

— Non, m'a-t-il assurée.

Puis, je me suis étendue par terre; je sentais la force de la terre dans mon dos; je sentais l'énergie qui cessait peu à peu de bourdonner en moi, absorbée par l'antique étreinte de la terre. Au bout d'un moment, je me suis sentie beaucoup plus normale, moins légère et, je suppose... moins ivre. Je n'avais pas beaucoup d'expérience en matière d'ivresse, mais j'imaginais que ce devait être un peu la même sensation.

— Comment se fait-il qu'elle peut faire ça ? a demandé Matt, qui entourait toujours Jenna de son bras protecteur.

Jenna prenait de profondes respirations, histoire de tester sa capacité pulmonaire.

C'est si facile, s'émerveillait-elle. Je me sens tellement… tellement moins oppressée.

Cal a eu un petit rire narquois.

— Moi aussi, parfois, ça me fout la trouille. Morgan réussit des choses qu'une grande prêtresse — quelqu'un qui a des années et des années de pratique et d'expérience — serait étonnée d'accomplir. C'est parce que son pouvoir est grand, voilà tout !

— Tu as dit que Morgan est une sorcière de sang, s'est rappelé Ethan. Elle serait donc une sorcière de sang, comme toi ? Mais comment est-ce possible ?

— Je préfère ne pas en parler, suis-je intervenue en m'assoyant. Je suis désolée si j'ai fait quelque chose que je n'aurais pas dû faire, encore une fois. Je n'ai jamais eu quelque intention malveillante. Je voulais seulement aider Jenna à respirer. Je ne veux pas parler du fait que je suis une sorcière de sang. D'accord ?

Six paires d'yeux me regardaient fixement, sans rien comprendre. Néanmoins, ils ont tous fait signe que oui et ont acquiescé à ma requête. Cependant, à voir l'expression de Cal, je comprenais qu'il faudrait absolument que nous en discutions plus tard.

— J'ai faim, a dit Evan. T'as quelque chose à grignoter ?

— Sûr, a répondu Matt, se dirigeant vers la cuisine.

— Dommage qu'on ne puisse pas se baigner cette fois-ci, a lancé Jenna, l'air franchement désolée.

— On ne peut pas ? a fait Cal avec un sourire moqueur à mon égard. Pourquoi pas ? On n'est pas très loin de chez moi.

Humiliée, j'ai croisé les bras sur ma poitrine.

— Pas question, s'est écriée Sharon, à mon grand soulagement. Même si la piscine est chauffée, l'air du dehors est beaucoup trop froid. Je n'ai pas envie d'attraper la mort.

— Bon, bon, a conclu Cal, une autre fois, peut-être….

Matt était de retour avec un grand bol de maïs soufflé.

M'étant assurée que personne ne pouvait me voir, j'ai lancé à Cal un drôle de regard qui l'a fait rire en silence. Puis je me suis collée contre lui ; c'était chaud ; j'étais heureuse. Cela avait été un cercle incroyable, exaltant, même sans Bree.

Mais mon sourire s'est assombri lorsque je me suis demandé où Bree et Raven étaient ce soir-là, et surtout, avec qui.

14

La leçon

7 mai 1982

Nous quittons cet endroit dépourvu d'âme. J'ai travaillé comme caissière dans un wagon-restaurant, et Angus s'est tué à la tâche en travaillant dans un abattoir ; il déchargeait de grosses vaches américaines et suspendait leurs carcasses à des crochets. Je sens que mon âme agonise, et Angus a la même impression. Nous économisons le moindre sou dans le but de partir, d'aller n'importe où ailleurs.

Pas beaucoup de nouvelles de chez nous. Il ne reste aucun membre de Belwicket pour nous dire ce qui est arrivé, et les rares rumeurs qui nous parviennent ne nous aident en rien. Je ne sais même pas pourquoi je continue à écrire ce livre, sinon pour tenir un journal personnel. Ce n'est plus un Livre des ombres. Il ne l'est plus depuis mon anniversaire, le jour où mon univers a été anéanti. Je n'ai pas fait de magye depuis que je suis ici ; Angus non plus. Je n'en *ferai plus jamais. La magye ne nous a valu que destruction.*

J'ai seulement vingt ans, et pourtant, j'attends déjà l'étreinte de la mort.

— *M. R.*

Le lendemain matin, à l'église, une idée m'est venue en voyant le confessionnal. La messe terminée, j'ai dit à mes parents que je voulais aller à la confesse. Ils ont semblé un peu surpris mais, que pouvaient-ils dire ?

— Je ne veux pas aller au resto aujourd'hui, ai-je ajouté. On se retrouve plus tard, à la maison.

Mes parents ont échangé un regard, puis papa a hoché la tête, et maman a mis sa main sur mon épaule.

— Morgan, a-t-elle commencé, puis, secouant la tête, elle a dit : rien. À plus tard.

Mary K. m'a regardée sans dire un mot. Elle paraissait bouleversée.

J'ai attendu patiemment en faisant la queue comme les autres paroissiens désireux de confesser leurs péchés. J'ai pensé qu'en me concentrant, je pourrais entendre leurs aveux au prêtre, mais je ne voulais même pas essayer. Ce ne serait pas bien. Je me doutais que le père Hotchkiss devait parfois entendre des histoires assez croustillantes. Et aussi des histoires ennuyeuses à mourir et des récits insignifiants.

Finalement, mon tour est arrivé. Je me suis agenouillée dans l'isoloir et j'ai attendu que la petite fenêtre grillagée s'ouvre. Après m'être signée, j'ai dit :

— Pardonnez-moi mon père, parce que j'ai péché. Ma dernière confession remonte à… hum… quatre mois.

— Continuez, mon enfant, m'a encouragée le père Hotchkiss, comme il l'avait fait chaque fois que je m'étais confessée.

— Hum…

N'ayant pas fait mon examen de conscience, je n'avais pas une liste de péchés à énumérer. Je n'avais aucune intention de lui raconter ma vie et, de toute façon, je ne considérais pas mes actions comme des péchés.

— Hum… Eh bien, ces derniers temps, j'ai été très en colère contre mes parents, ai-je lâché tout de go. Bien sûr, je les aime et j'essaie de les respecter, mais récemment, j'ai découvert qu'ils m'avaient adoptée.

Bon, j'avais craché le morceau, et de l'autre côté de l'écran, j'ai vu que le père Hotchkiss avait relevé la tête et tendait une oreille plus attentive.

— Je suis bouleversée et fâchée qu'ils ne me l'aient pas dit avant et qu'ils refusent d'en parler maintenant, ai-je poursuivi. Je veux savoir qui étaient mes parents biologiques. Je veux savoir d'où je viens.

Il y a eu un long silence, le temps que le père Hotchkiss digère ce que je venais de dire.

— Vos parents ont fait ce qu'ils croyaient avoir de mieux à faire, a-t-il fini par décréter.

Il n'avait pas nié le fait que j'avais été adoptée, et une fois de plus, je me suis sentie humiliée que tout le monde ait été au courant, sauf moi.

— Ma mère biologique est morte, ai-je dit, mal à l'aise et nerveuse d'aborder ce sujet. J'ai besoin de connaître son histoire.

— Mon enfant, a repris le père Hotchkiss tout doucement. Je comprends votre désir. Je ne peux dire que je ne réagirais pas comme vous, si j'étais à votre place. Je peux cependant vous dire, et je parle d'expérience, qu'il est souvent préférable d'oublier le passé.

Les larmes me sont montées aux yeux, mais je ne m'étais pas vraiment attendue à plus de sa part.

— Je vois, ai-je murmuré, essayant de ne pas pleurer.

— Ma chère enfant, les voies du Seigneur sont impénétrables, a dit le prêtre, et je n'arrivais pas à croire qu'il puisse répéter ce genre de lieu commun. Pour une raison ou une autre, Dieu vous a menée jusqu'à vos parents, et je sais qu'ils vous aiment de toutes leurs forces. Il les a choisis pour vous, et Il vous a choisie pour eux. Vous feriez bien de respecter Sa décision.

Je suis restée là, à mesurer ses paroles. Puis j'ai pris conscience que les gens attendaient pour se confesser et qu'il était temps que je cède la place.

— Merci mon père, ai-je dit.

— Priez pour que Dieu vous guide, ma chère enfant. Et je prierai pour vous.

— OK.

Je suis sortie du confessionnal, j'ai mis mon manteau, et je suis sortie par la grande porte, où j'ai retrouvé le beau soleil de novembre. Il fallait que je réfléchisse.

C'était bon de marcher au soleil et de donner des coups de pied dans les feuilles brunes et humides, après tant de journées grises. De temps en temps, une feuille dorée flottait autour de moi, comme une autre seconde s'envolant à l'horloge qui changeait l'automne en hiver.

J'ai arpenté le centre-ville de Widow's Vale en faisant du lèche-vitrine. Notre ville a de l'âge et l'hôtel de ville date de 1692 ; il m'arrive de goûter le charme et le caractère pittoresque de ses vieilles pierres. Une petite brise fraîche me caressait les cheveux, et l'odeur de la rivière Hudson, qui longe la ville, s'insinuait dans mes narines.

En rentrant chez moi, j'avais eu le temps de réfléchir aux conseils du père Hotchkiss. Il y avait de la sagesse dans ses paroles, mais cela ne voulait pas dire que je devais accepter de ne pas connaître toute la vérité.

Je ne savais pas quoi faire. Je pourrais peut-être demander conseil à la prochaine réunion de notre cercle.

Ma marche de trois kilomètres m'ayant bien réchauffée, j'ai déposé mon manteau sur le dossier d'une chaise dans la cuisine. J'ai regardé l'heure. S'ils étaient fidèles à leurs habitudes, mes parents ne seraient pas de retour avant une bonne heure. Ce serait bon d'avoir la maison à moi toute seule, pour une fois.

Un bruit au-dessus de ma tête m'a fait sursauter. Bizarrement, j'ai d'abord pensé que Bree était chez moi, peut-être avec Raven, et qu'elles jetaient un sort à ma chambre ou quelque chose du genre. Allez savoir pourquoi je n'ai pas pensé aux voleurs, ni même à un écureuil égaré qui aurait réussi à entrer dans la maison. Non, j'ai aussitôt pensé à Bree.

J'entendais des bruits de dispute et le bruit irritant d'un meuble que l'on traîne sur le plancher. Doucement, j'ai ouvert l'armoire à balai et j'y ai pris un bâton de baseball. Puis, j'ai enlevé mes chaussures et j'ai grimpé l'escalier à pas de loup.

En arrivant en haut des marches, j'ai compris que les bruits venaient de la chambre de Mary K. Puis je l'ai entendue crier :

— Non! arrête, bon sang, Bakker!

Je me suis figée sur place, ne sachant pas trop quoi faire.

— Lâche-moi, criait Mary K., furieuse.

— Oh! allons, disait Bakker. Tu as dit que tu m'aimais! J'ai pensé que tu voulais…

— Je t'ai dit que je ne voulais pas faire ça, répétait Mary K. en pleurant.

D'un coup sec, j'ai ouvert la porte toute grande et j'ai vu Bakker Blackburn allongé sur ma sœur qui se débattait. J'ai lâché un cri qui les a fait sursauter. Ils se sont retournés pour me regarder, et j'ai vu le soulagement dans les yeux de Mary K.

— Tu l'as entendue, ai-je hurlé, Lâche-la!

— On discutait, a dit Bakker.

Mary K. le repoussait à deux mains, et il lui résistait. Dans un accès de fureur soudaine, j'ai levé la batte. Paf! Je l'ai abattue sur l'épaule de Bakker pour attirer son attention. Je ne m'étais pas mise dans une telle colère depuis ma dernière dispute avec Bree.

— Ouch! a crié Bakker. Qu'est-ce que tu fais? T'es folle ou quoi?

— Bakker, lâche-moi! a ordonné Mary K. en le repoussant.

Puis, serrant les dents et approchant mon visage de celui de Bakker, j'ai pris l'air le plus menaçant que je pouvais.

— Tu vas la lâcher!

Le visage de Bakker s'est crispé, et il s'est relevé. L'air honteux et furieux, il me regardait d'un œil noir. Puis soudain, il a levé la main et m'a arraché la batte. La mâchoire m'en est tombée quand j'ai vu le bout de bois voler à l'autre bout de la chambre.

— Ne te mêle pas de ça, Morgan, a-t-il maugréé. Tu t'imagines des choses. On ne faisait que parler, ta sœur et moi.

— Ha! a dit Mary K., sautant du lit et enfilant sa chemise. Tu t'es comporté comme un idiot! Maintenant, sors d'ici!

— Pas tant que tu ne m'auras pas expliqué ce qui se passe, a objecté Bakker.

Tu m'as dit de venir chez toi! Il criait presque et sa voix emplissait l'espace. Tu m'as dit de monter! Que voulais-tu que je pense? Ça fait presque deux mois qu'on sort ensemble!

Mary K. s'était mise à pleurer et, serrant son oreiller :

— Ce n'est pas ce que j'ai voulu dire. Je voulais seulement être un peu seule avec toi.

— Et pour toi, ça voulait dire quoi au juste, être seule avec moi? a-t-il demandé, en ouvrant les bras et en s'approchant d'elle.

— Fais gaffe, Bakker, ai-je lancé, mais il ne m'écoutait pas.

— Pas ça en tout cas, a répété Mary K. en pleurant.

— Jésus! a-t-il juré en se penchant vers moi.

J'ai serré les dents, tout en tentant de me rapprocher de la batte.

— Tu ne sais pas ce que tu veux.

— La ferme, Bakker! ai-je ordonné. Pour l'amour du ciel, elle a 14 ans.

Mary K. pleurait, la tête enfouie dans son oreiller.

— C'est ma petite-amie! a crié Bakker. Je l'aime et elle m'aime, alors ne t'en mêle pas! C'est pas de tes affaires!

— Pas de mes affaires!

Je n'en croyais pas mes oreilles.

— C'est de ma petite sœur dont tu parles!

D'un mouvement instinctif, j'ai levé le bras et pointé un doigt vers Bakker. Devant mes yeux, un minuscule rai de lumière bleue s'est matérialisé au bout de mon doigt et l'a atteint aux côtes. Cela ressemblait à la lumière que j'avais donnée à Jenna hier soir. Bakker a lâché un cri et trébuché. Puis, se tenant les côtes, il s'est agrippé aux couvertures. Je le regardais, horrifiée, et il me regardait, incrédule, comme s'il m'avait poussé des ailes et des griffes.

— Bon sang de bon Dieu! a-t-il fait le souffle coupé, la main sur le flanc.

Je priais pour que le sang ne se mette pas à couler sur ses doigts. Quand il a enlevé sa main, il n'y avait aucune tache sur son T-shirt, pas de sang. Soulagée, j'ai repris mon souffle.

— Je m'en vais, a-t-il annoncé d'une voix étranglée, en se remettant sur pied.

Mary K., la tête dans l'oreiller, n'a pas levé les yeux. Me jetant un dernier regard, Bakker est parti en coup de vent et a dévalé l'escalier. J'ai entendu claquer la porte d'entrée, et j'ai jeté un œil en bas pour m'assurer qu'il était bel et bien sorti de chez nous. Sous la lumière du porche, je l'ai vu courir jusqu'à la rue en se frottant le flanc. Ses lèvres bougeaient, comme s'il jurait pour lui-même.

— Bon sang, Mary K., ai-je dit en m'assoyant à côté d'elle sur le lit. Qu'est-ce que ça veut dire ? Comment se fait-il que tu ne sois pas au restaurant avec papa et maman ?

En larmes, elle s'est collée contre moi. Je l'ai enlacée et l'ai bercée, reconnaissante qu'il ne lui soit rien arrivé de fâcheux et que je sois rentrée de bonne heure. Pour la première fois depuis une semaine, je sentais que nous étions aussi proches l'une de l'autre que nous l'avions toujours été. Proches. À l'aise. En confiance. Cette complicité m'avait tellement manqué.

— Ne le dis pas aux parents, a-t-elle demandé, suppliante, les joues baignées de larmes. Je voulais seulement être seule avec Bakker, alors je leur ai dit qu'il fallait que j'étudie et ils m'ont déposée ici et sont repartis manger au resto. C'est juste que nous sommes toujours avec plein de monde. Je ne savais pas qu'il allait penser que...

— OK, Mary K., ai-je promis, en essayant de la consoler. C'était un énorme malentendu, mais ce n'était pas ta faute. Ce n'est pas parce que tu lui as dit que tu voulais être seule avec lui que tu devais te sentir obligée de coucher avec lui. Tu voulais dire une chose ; il l'a interprétée autrement. Ce qui est affreux, c'est qu'il se soit comporté en parfait idiot. J'aurais dû appeler la police.

Mary K. a reniflé avant de reprendre :

— Je ne crois pas vraiment qu'il voulait me... faire du mal. Je crois que ça paraissait pire que c'était.

— Je ne peux pas croire que tu prennes sa défense !

— Je ne le défends pas, pas du tout, et c'est bel et bien fini avec lui.

— Bon, ai-je dit fermement.

— Mais, tu sais, ce n'était pas lui, a-t-elle poursuivi. Il n'a jamais exercé de pression sur moi ; il m'écoutait toujours quand je disais non. Je suis sûre qu'il va s'en vouloir à mort demain.

J'ai plissé les yeux.

— Mary Kathleen Rowlands, ça ne va pas. Que je te voie essayer de lui trouver des excuses ! Quand je suis entrée dans ta chambre, il tentait de t'immobiliser !

— Ouais ! a-t-elle admis, fronçant les sourcils.

— Et puis, il m'a arraché la batte des mains, ai-je ajouté. Et il hurlait après nous.

— Je sais, a dit Mary K., l'air fâchée. C'est incroyable.

— Effectivement. Dis-moi que tu vas rompre, ai-je dit en me levant.

— Je vais rompre avec lui, a répété ma sœur.

— OK. Maintenant, je vais me changer. Tu ferais mieux de te laver le visage et de remettre ta chambre en ordre avant que maman et papa ne rentrent.

— OK, a dit ma sœur en se levant et en me faisant un petit sourire humide. Merci d'avoir volé à mon secours.

Puis elle m'a serrée dans ses bras.

— Ce n'est rien.

— Comment as-tu fait pour l'arrêter, dis? Il a crié *ouch!* Puis il s'est écroulé. Qu'est-ce que t'as fait?

J'ai pensé vite.

— Je lui ai donné un coup de pied sous le genou et il a perdu pied. Il a perdu l'équilibre.

Mary K. a ri.

— Il a dû être très surpris.

— Je pense qu'on l'était tous les deux, ai-je avoué honnêtement.

Puis, un peu secouée, j'ai descendu l'escalier. J'avais lancé un éclair de lumière sur quelqu'un. C'était pour le moins étrange, même pour une sorcière.

15

Qui je suis

1ᵉʳ septembre 1982

Aujourd'hui, nous quittons ce trou d'enfer pour aller vivre dans une ville appelée Meshomah Falls, à environ trois heures d'ici. Je crois que Meshomah est un mot indien. Il y a des noms indiens partout autour d'ici. La ville est petite et très jolie, un peu comme chez nous.

Nous avons déjà trouvé des emplois : je serai serveuse dans un petit café du centre-ville, et Angus travaillera comme apprenti pour un charpentier de la région. La semaine dernière, nous avons vu des gens étrangement vêtus à la mode ancienne. J'ai posé la question à un homme et il m'a dit que c'étaient des Amishs.

La semaine dernière, Angus est rentré d'Irlande. Je ne voulais pas qu'il y aille, et je n'avais pas osé écrire cela avant aujourd'hui. Il est allé en Irlande et s'est rendu à Ballynigel. Il ne reste plus grand-chose de la ville. Toutes les maisons où vivaient des sorcières ont été rasées par les flammes et on a déjà commencé à reconstruire. Il dit qu'il n'y a plus aucun des nôtres ; il n'a trouvé personne. À Much Bencham, il a entendu des gens raconter qu'une énorme vague noire a balayé la ville, une vague sans eau. J'ignore ce qui aurait pu causer ou créer quelque chose d'aussi énorme, de si puissant. Peut-être la force réunie de plusieurs cercles de sorcières.

J'étais terrifiée quand il est parti : j'ai cru que je ne le reverrais jamais. Il voulait qu'on se marie avant son départ, mais j'ai dit non. Je ne veux épouser personne. Rien n'est permanent, et je ne veux pas me faire d'illusions. De toute façon, il a pris l'argent, est retourné chez nous, et n'a trouvé que des champs vides et incendiés.

Maintenant, il est ici, nous allons déménager dans cette nouvelle ville, et j'espère pouvoir amorcer une nouvelle vie.

— M. R.

Plus tard le même après-midi, j'ai décidé de me concentrer afin de retrouver mes livres sur la Wicca. Allongée sur mon lit, j'ai fait appel à tous mes sens, histoire de bien sentir la maison de fond en comble.

Pendant un long moment, je n'ai rien perçu, et je commençais à penser que je perdais mon temps lorsque soudain, 45 minutes plus tard environ, j'ai senti que mes livres étaient cachés au fond de l'armoire de ma mère, dans une valise. Je suis allée voir et ils y étaient bel et bien. Je les ai ramenés dans ma chambre et les ai déposés bien en vue sur ma table de travail. Si maman et papa voulaient en faire un plat, tant pis. Je resterais muette comme une tombe.

Dimanche soir, j'étais assise à ma table de travail, en train de faire mon devoir de maths, lorsque mes parents ont frappé à ma porte. Je leur ai répondu d'entrer.

Lorsque la porte s'est ouverte, j'ai entendu la musique que Mary K. faisait jouer à tue-tête dans sa chambre. J'ai fait la grimace ; nos goûts sont très différents en matière de musique.

Mes parents se tenaient sur le pas de la porte.

— Oui ? ai-je dit calmement.

— Est-ce qu'on peut entrer ? a demandé maman.

J'ai répondu par un haussement d'épaules.

Ils se sont assis sur mon lit. J'essayais de ne pas regarder les livres sur la Wicca posés sur ma table de travail.

Papa s'est raclé la gorge et maman lui a pris la main.

— La semaine a été... très difficile pour chacun de nous, a commencé maman, qui semblait peu sûre d'elle et mal à l'aise. Tu nous as posé des questions auxquelles nous n'étions pas prêts à répondre.

J'attendais la suite.

— Si tu n'avais pas découvert la vérité par toi-même, je ne t'aurais probablement jamais dit que tu avais été adoptée, a-t-elle poursuivi, sa voix s'éteignant dans un souffle. Je sais que ce n'est pas ce que l'on recommande. On dit qu'il faut être ouverts, honnêtes.

Elle a secoué la tête.

— Mais nous croyions que ce n'était pas une bonne idée de tout te raconter.

Elle a levé les yeux sur papa, et il a acquiescé.

— Maintenant, tu sais, a dit maman. À tout le moins, en partie. Peut-être est-il préférable que tu en saches autant que nous. Je n'en suis pas convaincue. À vrai dire, je n'en sais plus trop rien. Mais il semble que nous n'ayons plus le choix.

— J'ai le droit de savoir. C'est ma vie. Je ne pense plus qu'à ça. C'est là, dans ma tête, chaque jour.

Maman a fait signe que oui.

— Oui, je le vois bien. Alors…

Elle a pris une longue respiration, puis, fixant ses genoux :

— Tu sais que ton père et moi nous sommes mariés quand j'avais 22 ans et lui 24.

— Hmm, hmm.

— Nous voulions avoir des enfants tout de suite. Nous avons essayé pendant huit ans, sans succès. Les médecins avaient découvert toutes sortes de problèmes chez moi : déséquilibre hormonal, endométriose… si bien que chaque mois, lorsque j'avais mes règles, je pleurais pendant trois jours parce que je n'étais pas enceinte.

Mon père la regardait sans broncher. Il lui avait lâché la main pour lui entourer les épaules de son bras.

— Je priais pour que Dieu m'envoie un bébé. J'allumais des chandelles, j'égrenais mon chapelet. Finalement, nous sommes allés voir une agence d'adoption, où l'on nous a dit que cela pourrait prendre de trois à quatre ans. Nous avons quand même donné notre nom. Et alors…

— Alors, une de nos connaissances, un avocat, nous a téléphoné un soir, a poursuivi papa.

— Il pleuvait, a précisé maman, tandis que je repassais dans ma tête les amis que je leur connaissais, pour me rappeler le nom d'un avocat.

— Il a dit qu'il avait un bébé, a continué papa. Une fille qui avait besoin de parents adoptifs, une adoption privée.

— Nous n'avons même pas pris le temps de réfléchir, a dit maman. Nous avons dit oui! Le même soir, il est venu chez nous avec un bébé qu'il m'a mis dans les bras. Au premier regard, j'ai su que c'était mon bébé, celui que j'implorais Dieu de m'envoyer depuis si longtemps.

La voix de ma mère s'était brisée ; elle se frottait les yeux.

— C'était toi, a dit papa, bien inutilement.

Il souriait à ce souvenir.

— Tu avais sept mois et tu étais tellement…

— Tellement parfaite… l'a interrompu maman, le visage soudain illuminé. Tu étais ronde et joufflue, avec des frisettes et de grands yeux. Lorsque tu as levé les yeux sur moi… j'ai su que c'était toi. À cet instant, tu es devenue mon enfant, et j'aurais pu tuer tous ceux qui auraient voulu t'enlever à moi. L'avocat nous a dit que tes parents biologiques étaient trop jeunes pour prendre soin d'un nourrisson et qu'ils lui avaient demandé de lui trouver un foyer.

Elle a secoué la tête.

— Nous n'avons même pas pris le temps de réfléchir et nous n'avons pas exigé davantage de détails. Tout ce que je savais, c'était que j'avais mon bébé et, franchement, je me fichais pas mal d'où tu pouvais venir et pour quelle raison tu étais là.

J'ai serré les mâchoires; j'avais soudain mal à la gorge. Mes parents biologiques m'avaient-ils donnée en adoption pour que je sois en sécurité, parce qu'ils se savaient menacés en quelque sorte? Cet avocat avait-il dit la vérité? Ou aurais-je pu être recueillie quelque part, après leur mort?

— Tu étais tout ce dont nous avions rêvé, a dit papa. Ce soir-là, tu as dormi entre nous, dans notre lit, et le lendemain nous sommes allés acheter tous les trucs imaginables pour bébé. C'était comme mille fêtes de Noël; tous nos rêves se réalisaient en toi.

— Une semaine plus tard, a repris maman en reniflant, nous avons lu un article sur un incendie à Meshomah Falls. On y disait que deux corps avaient été retrouvés dans une grange qui avait été rasée par les flammes. Lorsque les corps ont été identifiés et que leurs noms ont paru dans le journal, c'étaient les mêmes noms que sur ton acte de naissance.

— Nous avons voulu en savoir davantage, mais nous ne voulions rien faire pour compromettre l'adoption, a dit papa en secouant la tête. J'ai honte de le dire, mais tout ce qui nous importait, c'était de te garder, à n'importe quel prix.

— Mais, des mois après, lorsque l'adoption a été officielle — les choses sont allées très vite, et enfin, la démarche avait été légalisée et plus personne n'aurait pu te reprendre à nous —, nous avons essayé d'en savoir plus, a continué maman.

— Comment?

— Nous avons essayé de téléphoner à cet avocat, mais il avait accepté un emploi dans un autre État. Nous avons laissé des messages, mais il ne les a jamais retournés. C'était étrange, a ajouté papa. On aurait dit qu'il nous évitait. Alors, on a fini par renoncer à le joindre.

— J'ai épluché les journaux, a-t-il poursuivi. J'ai parlé au journaliste qui avait couvert l'incendie de la grange, et il m'a mis en contact avec le service de police de Meshomah. Après cela, j'ai fait des recherches en Irlande, durant un voyage d'affaires.

Tu avais environ deux ans à l'époque, et ta mère attendait Mary K..

— Qu'est-ce que tu as trouvé? ai-je demandé d'une petite voix.

— Es-tu certaine de vouloir savoir?

J'ai fait oui de la tête, en m'agrippant au dossier de mon fauteuil.

— Je veux savoir, ai-je dit fermement.

Je savais ce qu'Alyce m'avait relaté et ce que j'avais découvert à la bibliothèque. Mais il fallait que je sache toute la vérité. Je voulais tout savoir.

— Maeve Riordan et Angus Bramson sont morts dans l'incendie de cette grange, a dit papa, les yeux baissés comme s'il lisait ses mots sur ses chaussures. Il s'agissait d'un incendie criminel, a-t-il précisé. Les portes de la grange avaient été barrées de l'extérieur, et on avait aspergé le bâtiment d'essence.

Je tremblais, les yeux grands ouverts, rivés sur mon père. Je n'avais lu nulle part que l'on avait trouvé des preuves que c'était un meurtre.

— Ils ont trouvé des symboles sur quelques morceaux de bois calciné, a dit maman. C'étaient des runes, mais personne ne savait pourquoi elles avaient été tracées là, ni pourquoi Maeve et Angus avaient été assassinés. Ils s'étaient faits discrets, n'avaient pas de dettes, allaient à l'église le dimanche. Le crime n'a jamais été résolu.

— Et en Irlande, qu'est-ce que tu as trouvé?

Papa a hoché la tête puis s'est redressé.

— Comme j'ai dit, j'étais en voyage d'affaires, et je manquais de temps. Je ne savais même pas quoi chercher. Mais j'ai pris une journée pour me rendre à Ballynigel, la ville d'origine de Maeve Riordan, selon la police de Meshomah. J'y suis allé, mais il ne restait pas grand-chose. Deux boutiques dans la rue Principale et un ou deux affreux immeubles à appartements. Mon guide touristique disait que c'était un village de pêcheurs pittoresque, mais je n'ai vu aucun signe de son ancienne vocation.

— As-tu découvert ce qui était arrivé?

— Pas vraiment, a dit papa, ouvrant les bras en signe d'impuissance. Il y avait un minuscule kiosque à journaux. Quand j'ai posé la question, la vieille dame m'a jeté dehors à coups de pied et a claqué la porte.

— T'a jeté dehors à coups de pied ? ai-je répété, incrédule.

Papa a eu un petit rire nerveux.

— Oui. Finalement, après m'être promené et n'avoir rien trouvé, je me suis rendu dans la ville voisine — Much Bencham, si ma mémoire est bonne — et j'ai commandé un sandwich au pub. Il y avait deux vieux bonshommes assis au bar ; ils m'ont fait la conversation, m'ont demandé d'où je venais. Dès que j'ai mentionné Ballynigel, ils se sont tus. « En quoi ça vous regarde ? » ont-ils demandé, l'air suspicieux. Je leur ai dit que j'enquêtais sur les petites villes irlandaises, pour la rubrique voyages d'un journal de ma région.

J'ai regardé mon père, incapable de l'imaginer en train de mentir allègrement à des étrangers, dans le but de découvrir mes antécédents familiaux. Il connaissait l'histoire ; mes deux parents avaient tout su, presque toute ma vie. Et ils ne m'en avaient jamais soufflé mot.

— Pour faire une histoire courte, a poursuivi papa, j'ai fini par apprendre que jusqu'à quatre ans plus tôt, Ballynigel avait été une petite ville prospère. Puis soudain, en 1982, elle avait été détruite. Ils ont dit qu'elle avait été détruite par le Malin.

J'arrivais à peine à respirer. Cette histoire ressemblait à celle qu'Alyce m'avait racontée. Maman se mordait la lèvre inférieure nerveusement, sans me regarder.

— Ils ont dit que Ballynigel était une ville de sorcières, la majorité de ses habitants étant des descendants de sorcières depuis des millénaires. Ils les appelaient les vieux clans. D'après eux, le Mal s'était levé et avait détruit les sorcières. Ils ignoraient pour quelle raison, mais ils savaient qu'il ne fallait jamais prendre de risques avec une sorcière.

Papa a toussé et s'est éclairci la gorge.

— J'ai éclaté de rire et leur ai dit que je ne croyais pas aux sorcières. Ils ont répondu : « C'est de la folie ». Ils m'ont ensuite affirmé que les sorcières existaient bel et bien, qu'il y avait eu un cercle puissant à Ballynigel, jusqu'à la nuit où ils avaient été détruits, et toute la ville avec eux. Ensuite, j'ai eu une idée et j'ai demandé : « y en a-t-il qui ont réussi à s'enfuir ? » Ils ont répondu que quelques humains avaient pris la fuite. Ils les appelaient humains, comme s'il y avait une différence. J'ai dit : « et les sorcières ? » Ils m'ont alors répondu que si des sorciers avaient réussi à fuir, ils ne seraient jamais en sécurité, où qu'ils aillent se réfugier. Que tôt ou tard, on allait les pourchasser et les tuer.

Mais deux sorciers s'étaient enfuis et étaient venus en Amérique, où ils avaient été assassinés trois ans plus tard.

Maman avait cessé de renifler et regardait mon père, comme si elle ne l'avait jamais entendu raconter cette histoire.

— Je suis rentré et j'ai tout raconté à ta mère. Pour dire la vérité, nous étions tous les deux terrifiés. Nous pensions à la manière dont tes parents biologiques avaient été assassinés. Franchement, nous avions très peur. Nous pensions qu'il y avait un psychopathe quelque part, qui pourchassait ces gens, et que s'il entendait parler de toi, tu ne serais plus jamais en sécurité. Alors, nous avons décidé de nous occuper de nos affaires, et nous n'avons plus jamais parlé du passé.

J'étais là, comparant cette histoire à celle qu'Alyce m'avait racontée. Pour la première fois, je comprenais pourquoi mes parents avaient gardé le secret. Ils avaient essayé de me protéger. De me protéger de ce qui avait tué mes parents biologiques.

— Nous voulions changer ton prénom, a dit maman. Mais tu t'appelais légalement Morgan. Alors nous t'avons donné un surnom.

— Molly, ai-je dit.

J'avais été Molly jusqu'en quatrième année, quand j'avais décidé que je détestais ce nom et que j'avais exigé qu'on m'appelle Morgan.

— Oui. Et à ce moment-là, quand tu nous as demandé de t'appeler Morgan, nous étions rassurés, a dit maman. Les choses avaient beaucoup changé. Nous n'avions plus jamais entendu parler de Meshomah Falls, de Ballynigel, ou des sorcières. Nous avons cru que tout cela était derrière nous.

— Puis, nous avons trouvé tes livres sur la Wicca, a dit papa. Et tout cela est remonté à la surface : les souvenirs, les histoires d'horreur, la peur. J'ai cru que quelqu'un t'avait retrouvée et t'avait donné ces livres dans un but malfaisant.

— Je les ai achetés moi-même, ai-je dit en secouant la tête.

— Peut-être avons-nous été déraisonnables, a dit maman, lentement. Mais tu ne sais pas ce que c'est de que de craindre que ton enfant te soit enlevée ou qu'on lui fasse du mal. Sans doute que ce que tu fais est sans conséquences. Les gens avec qui tu le fais ne font peut-être rien de mal et ne veulent pas te blesser…

— Bien sûr que non, ai-je répondu en pensant à Cal, à sa mère et à mes amis.

— Mais on ne peut s'empêcher d'avoir peur, a ajouté papa. J'ai vu une ville qui avait été complètement rasée. J'ai lu l'histoire de la grange incendiée. J'ai parlé à ces hommes en Irlande. Si c'est à cela que mène la sorcellerie, nous ne voulons pas que tu y prennes part, d'aucune manière.

Nous sommes restés assis là en silence pendant quelques minutes, tandis que j'essayais d'absorber toutes ces révélations. J'étais submergée par l'émotion, mais toute ma colère envers mes parents s'était dissipée.

— Je ne sais pas quoi dire, ai-je répondu en prenant une profonde respiration. Je suis contente que vous m'ayez raconté tout ça. Peut-être que j'aurais eu du mal à comprendre, quand j'étais enfant. Mais je continue de penser que vous auriez dû me dire plus tôt que j'avais été adoptée. J'aurais dû le savoir.

Mes parents ont fait signe que oui, et ma mère a lâché un gros soupir.

— Je continue cependant à croire que la Wicca n'a rien à voir avec ce... désastre en Irlande. C'est seulement... une coïncidence bizarre. La Wicca fait partie de ma vie, et je sais que je suis une sorcière. Mais les rituels que nous pratiquons ne pourraient causer aucune des catastrophes que vous avez décrites.

J'avais l'impression que maman avait envie de poser d'autres questions, sans toutefois vouloir entendre les réponses. Elle se taisait.

— Comment se fait-il que tu sois tombée enceinte de Mary K. ?

— Je ne sais pas, a répondu maman à voix basse. C'est arrivé, c'est tout. Et après Mary K., je ne suis plus jamais tombée enceinte. Dieu voulait que j'aie deux filles, et toutes les deux, vous avez apporté une joie immense dans nos vies. Je vous aime tellement que je préfère ne pas imaginer qu'un danger puisse vous menacer. C'est pourquoi je te demande de renoncer à la sorcellerie. Je te supplie de renoncer à la sorcellerie.

Elle s'est mise à pleurer, et bien sûr, j'en ai fait autant de mon côté. C'était trop d'émotions.

— Mais, je ne peux pas ! ai-je gémi, en me mouchant. Cela fait partie de moi. C'est naturel. C'est comme d'avoir les cheveux bruns ou de grands pieds. C'est… moi ; c'est tout.

— Tu n'as pas des grands pieds, a objecté mon père.

Je n'ai pu m'empêcher de rire à travers mes larmes.

— Je sais que vous m'aimez et que vous voulez ce qu'il y a de mieux pour moi, ai-je repris, en m'essuyant les yeux. Je vous aime et je ne veux pas vous faire de mal ou vous décevoir. Mais c'est comme si vous me demandiez de ne plus être Morgan.

— Nous voulons que tu sois en sécurité! a dit maman en élevant la voix. Nous voulons ton bonheur.

— Je suis heureuse, ai-je répondu. Et j'essaie d'être en sécurité en tout temps.

Nous avons entendu de la musique à l'autre bout du corridor, puis Mary K. est entrée dans la salle de bain adjacente à sa chambre et à la mienne. La porte s'est refermée et de nouveau, le silence.

J'ai regardé mes parents.

— Merci de m'avoir tout dit. Je sais que c'était difficile, mais je suis contente que vous l'ayez fait. Il fallait que je sache. Et je vais réfléchir à ce que vous m'avez dit, ai-je promis.

Maman a soupiré, puis elle a échangé un regard avec papa. Ils se sont levés, et nous nous sommes enlacés tous les trois pour la première fois depuis une semaine.

— Nous t'aimons, a dit maman, le visage enfoui dans mes cheveux.

— Je vous aime aussi.

16

Hostilité

15 décembre 1982

Nous nous préparons à célébrer Noël pour la toute première fois. Nous fréquentons l'église catholique de la ville. Les gens sont très gentils. C'est drôle comme cette fête catholique est semblable à Yule. La bûche de Yule, les couleurs, rouge et vert, le gui. Ces choses ont toujours fait partie de ma vie. C'est étrange de suivre les traditions catholiques plutôt que les nôtres.

Cette ville est jolie, beaucoup plus verte que New York. Ici, je peux voir la nature; je peux sentir la pluie. Il n'y a pas qu'un tas d'affreuses boîtes grises remplies de gens malheureux qui courent dans tous les sens.

Je me surprends encore régulièrement à vouloir dire une petite formule magyque pour ceci ou cela: pour chasser les limaces dans le jardin, apporter plus de soleil, aider mon pain à lever. Mais je ne le *fais pas. Ma vie entière est en noir et blanc, et c'est ainsi que doivent être les choses désormais. Pas de sortilèges, pas de magye, pas de rituels, pas de rimes. Pas ici. Plus jamais.*

Quoi qu'il en soit, j'aime notre petite chaumière. Elle est charmante et facile d'entretien. Nous épargnons pour acheter notre propre machine à laver. Imagine : tout le monde, en Amérique, a sa machine à laver !

Je n'arrive pas à oublier l'horreur de cette année. Elle est gravée dans mon âme à tout jamais. Mais je suis contente d'être dans ce nouvel endroit, en sécurité avec Angus.

— *M. R.*

— Est-ce que tu vas à la fête vendredi ? a demandé Tamara.

J'ai enlevé mes godasses et les ai rangées dans le fond de mon casier de gymnastique. Comme d'habitude, l'air dans le vestiaire des filles avait des relents de sueur, de poudre pour bébé et de shampoing. Tamara avait enlevé son short de gym et s'était assise pour enfiler ses chaussettes.

— Je ne sais pas, ai-je répondu, en enfilant mon chandail.

J'ai bien vu que Tamara reluquait le petit pentacle d'argent qui pendait à mon cou. Je n'étais pas certaine qu'elle connaisse la signification du pentacle : symbole de mon engagement envers la Wicca et envers Cal. Sans dire un mot, je me suis penchée pour attacher mes espadrilles.

À l'autre bout de la pièce, Bree se changeait devant son propre casier. Comme Raven était en cinquième secondaire, elles n'étaient pas dans la même classe. C'était donc normal de voir Bree toute seule.

L'espace d'un instant, nos yeux se sont croisés, et la froideur de son regard m'a heurtée. J'étais terriblement déçue de ne pas pouvoir partager ma grande nouvelle avec elle : mon adoption, l'histoire de mes parents biologiques. Nous nous étions juré de toujours tout nous raconter et, jusqu'à cette année, nous avions tenu promesse. Elle m'avait raconté la fois où elle avait perdu sa virginité, la première fois où elle avait essayé la marijuana, et comment elle avait découvert que sa mère avait un amant.

Ce que je lui confiais était beaucoup plus banal.

— Devine qui m'a demandé pour sortir avec lui, a demandé Tamara, en attachant sa crinière en queue de cheval.

— Qui? ai-je aussitôt demandé en nouant mes cheveux en deux longues nattes qui m'ont fait ressembler à une Pocahontas irlandaise.

— Chris Holly, a-t-elle répondu, baissant la voix.

J'ai écarquillé les yeux.

— Sans blague! Qu'est-ce que tu lui as répondu?

— J'ai dit non! Primo, je suis certaine qu'il me l'a demandé uniquement parce qu'il va être recalé en trigonométrie, et deuzio, j'ai vu comment il s'est comporté avec Bree. Au fait, est-ce que vous vous parlez encore, toi et Bree?

J'ai fait signe que non. J'ai glissé mes pieds dans mes espadrilles et j'ai commencé à les attacher.

— Alors, tu as couru après Cal?

— Non, ai-je dit honnêtement. En fait, j'étais folle de lui, mais je savais que Bree l'aimait aussi et j'étais sûre qu'ils finiraient par sortir ensemble. Mais… il m'a choisie.

Haussant les épaules, je me suis levée au son du sifflet de Mlle Lew, notre prof d'éducation physique. Mlle Lew adore son sifflet.

— Il pleut dehors, les filles, a-t-elle lancé de sa voix claire. Alors, vous allez faire le tour du gym cinq fois au pas de course!

Comme on peut s'en douter, nous avons grogné en chœur, puis nous sommes sorties des vestiaires en courant. Avec Tamara à mes côtés, j'ai vite dépassé Bree, qui avançait le plus lentement qu'elle pouvait.

— Sorcière, ai-je entendu Bree susurrer au moment où je la dépassais.

J'ai senti la chaleur me monter aux joues, mais j'ai fait comme si je n'avais rien entendu.

— Elle t'a traitée de vipère, a murmuré Tamara fâchée, en continuant de courir à côté de moi. Je n'arrive pas à croire qu'elle soit de si mauvaise foi. Ils ne sortaient même pas ensemble. Et puis, elle peut avoir tous les gars qu'elle veut. Faut-il vraiment qu'elle les séduise tous ?

Les gars de quatrième sont sortis de leur vestiaire en mugissant et en sifflant, et se sont mis à courir dans la direction opposée. La pluie martelait les petites fenêtres perchées très haut dans le gymnase.

— Hé, bébé !

— T'es superbe !

J'ai levé les yeux au ciel en croisant les garçons. Robbie m'a fait une grimace en passant et j'ai éclaté de rire.

— Bree m'a dit qu'ils étaient sortis ensemble une fois, ai-je poursuivi, haletant. En fait, elle a dit qu'elle avait couché avec Cal. Ce n'est pas exactement la même chose.

Tamara a haussé les épaules.

— C'est possible, mais je n'en ai jamais entendu parler. Cela ne pouvait pas vouloir dire grand-chose de toute façon. Oh ! devine qui a demandé à Janice de sortir avec lui ? Tu n'as pas entendu les derniers potins…

— Qui ?

— Ben Reggio, a annoncé Tamara. Ils se sont vus deux fois pour étudier.

— Oh! c'est super! J'ai l'impression qu'ils sont faits l'un pour l'autre. J'espère que ça va marcher.

Je me sentais si normale à échanger ainsi les potins de l'école avec Tamara. Aussi excitantes, fantastiques et stimulantes que pouvaient être mes expériences avec la Wicca, tout cela m'isolait un peu des autres. Et puis c'était épuisant. C'était bon pendant quelques minutes de ne pas avoir à penser à quoi que ce soit de profond, ou aux changements qui bousculaient ma vie.

À la fin de notre période de jogging, nous nous sommes séparés en équipes pour jouer au volley-ball. Les filles d'un côté du gymnase avec Mlle Lew, les gars de l'autre côté avec leur moniteur.

Bree et moi nous sommes retrouvées dans des équipes adverses.

— Merde, regarde Robbie, a murmuré une fille derrière moi. Je me suis retournée et j'ai vu Bettina Kretts qui parlait à Paula Arroyo. Il est craquant!

J'ai regardé Robbie. Le teint clair et sans lunettes, il évoluait dans le gymnase avec une nouvelle confiance en lui.

— Il paraît qu'Anu Radtha, une fille de cinquième, a voulu savoir quand il avait été transféré ici, a dit Paula à voix basse.

J'ai levé les sourcils. Anu était la sœur aînée de Ranjit, un ex-petit ami de Bree. Donc, Anu s'était imaginé que Robbie était un nouvel étudiant et l'avait jugé digne de son attention.

— Est-ce qu'il sort avec quelqu'un? a demandé Bettina.

— Je ne pense pas, a répondu Paula.

Leur conversation a été interrompue lorsque le ballon est passé dans notre camp. Nous l'avons fait bondir à quelques reprises, puis, curieuse d'entendre le reste de leur conversation, je l'ai envoyé voler de l'autre côté du filet.

— Il se tient avec les sorcières, a repris Bettina, à mon grand désarroi.

Elle était à bonne distance de moi et parlait très bas. Il fallait que je me concentre pour entendre ce qu'elle racontait. J'étais loin de me douter que les autres étudiants parlaient de notre groupe en disant «les sorcières».

— Ouais, je l'ai vu avec Cal et le reste de la bande, a ajouté Paula. Hé! s'il ne sort avec personne, pourquoi ne l'invites-tu pas à la fête?

Bettina a gloussé.

— Je vais peut-être l'inviter.

Bon, bon, bon, ai-je pensé, en faisant une passe à Sarah Fields. Sarah a frappé le ballon juste au-dessus du filet, en direction de Janice, et Janice l'a retourné d'un coup rapide et net, entre Bettina et Alessandra Spotford, ce qui nous a coûté un point et a donné le service à l'équipe adverse.

Bree s'apprêtait à faire le service pour son équipe lorsque quelqu'un a hurlé comme un loup à l'autre bout du gymnase. Elle a levé la tête, son regard allant d'un garçon à un autre, jusqu'à ce qu'il s'arrête sur Seth Moore, qui lui adressait un grand sourire libidineux. Seth était mignon dans le genre petit voyou : coupe mohawk, deux anneaux d'argent à l'oreille gauche, et de beaux yeux noisette.

Bree lui a rendu son sourire en accompagnant le sien d'un petit mouvement d'épaules suggestif.

Automatiquement, j'ai regardé Chris Holly, le tout dernier ex de Bree. Il observait la scène avec une froide animosité, mais n'a rien dit, ni fait un geste.

— Voyons, Mademoiselle Warren ! a lancé Mlle Lew.

— Toi et moi, bébé ! a crié Seth.

Bree a éclaté de rire, et nos regards se sont croisés. Elle m'a gratifiée d'un sourire ironique, supérieur, comme pour dire : tu vois ? Les garçons ne se commettraient jamais ainsi pour toi. J'ai essayé de paraître indifférente, mais bien sûr, elle avait raison. Cal était le seul gars à avoir déjà fait attention à moi. L'attitude de Bree m'avait blessée : elle avait visé juste.

— Quand tu veux ! a répondu Bree en regardant Seth et en se préparant à faire le service. Quelques-uns des coéquipiers de Seth ont fait semblant de le retenir. Tout le monde riait maintenant, tout le monde, sauf moi, Chris Holly et une autre personne. En voyant le regard de Robbie, les bras m'en sont tombés. Le bon vieux Robbie, mon ami Robbie, regardait Bree et Seth avec une jalousie à peine dissimulée. Il serrait les poings, et tout son corps était sous tension.

J'étais abasourdie. Il ne m'avait jamais dit qu'il s'intéressait à Bree.

Puis, j'ai senti une pointe de culpabilité me piquer. Évidemment, je ne lui avais jamais posé la question.

— Allons, Bree, a dit Mlle Lew, exaspérée.

Bree m'a fait un autre sourire supérieur, comme si tout ce spectacle m'était personnellement adressé. Elle voulait me montrer à quel point elle était en demande, contrairement à moi, qui n'étais qu'une mocheté. J'ai senti la colère me brûler. Sans cesser de la regarder, j'ai spontanément tiré sur l'encolure de mon T-shirt, révélant ainsi le pentacle d'argent que Cal avait porté et qui m'appartenait désormais.

Bree a pâli puis, lentement, elle a projeté son bras en arrière, a serré le poing et frappé le ballon de toutes ses forces en me visant. Une fraction de seconde avant que son tir puissant ne fonde sur moi, j'ai voulu me protéger le visage en avançant la main, mais sans succès. Le ballon m'a heurtée de plein fouet et je suis tombée à la renverse ; toute la classe a vu ma tête s'écraser sur le plancher de bois franc. Mon nez s'est mis à saigner et ma bouche s'est remplie de sang. Me tenant le visage à deux mains, j'ai essayé de m'asseoir avant de m'évanouir. Le sang coulait le long de mes doigts et sur mon T-shirt.

Tout le monde retenait son souffle, et j'ai vaguement entendu la voix de Mlle Lew qui, reprenant le contrôle devant l'urgence, me disait :

— Fais-moi voir ça, mon chou.

Pendant qu'elle évaluait l'étendue des dégâts, j'ai vu Bree, penchée par-dessus son épaule, qui me regardait d'un air inquiet, une expression horrifiée sur le visage.

Je l'ai regardée, tout en essayant de ne pas avaler de sang. Elle a ouvert la bouche et a murmuré :

— Je suis désolée. Pendant une minute, elle ressemblait tellement à la Bree d'autre-fois, que j'étais presque heureuse. Puis soudain, j'ai senti le contrecoup de ma chute, et une douleur affreuse au visage.

— Est-ce que ça va ? a demandé quelqu'un.

— Euh, ai-je marmonné, mettant les mains sur mon nez. Ça fait mal.

— OK, Morgan, a dit Mlle Lew. Peux-tu te relever ? On va t'emmener à l'infirmerie pour mettre de la glace là-dessus. Je crois que tu ferais mieux d'appeler ta mère.

Puis elle m'a aidée à me relever et a ordonné :

— Continuez la partie, les filles. Bettina, va chercher des serviettes de papier et nettoie ce sang pour éviter que quelqu'un ne glisse dessus. Mademoiselle Warren, présentez-vous à mon bureau à la fin des classes.

J'ai jeté un dernier regard à Bree en sortant du gymnase. Elle m'a regardée, mais j'ai vu que tout reste d'amitié ou d'émotion l'avait quittée, remplacé par un froid calcul. Cela m'a brisé le cœur et mes yeux se sont remplis de larmes.

Lorsque maman est venue me chercher, elle portait ses vêtements de travail.

Visiblement affolée, elle m'a emmenée à l'urgence, où l'on m'a fait des radiographies. J'avais le nez cassé, et j'avais besoin d'une suture sur la lèvre. Mon visage était si enflé qu'on aurait dit que je portais un masque d'Halloween.

Voilà où nous en étions dans notre amitié, Bree et moi.

17

Le nouveau cercle

14 avril 1983

Mes pois poussent bien ; je croyais les avoir semés trop tôt. Ils symbolisent ma nouvelle vie. Je n'arrive pas à croire qu'ils poussent seuls, sans l'aide de la magye, avec autant de force. J'ai parfois une telle envie d'entrer en contact avec la Déesse, que cela me fait mal ; c'est comme une douleur sourde, une chose qui essaie de sortir. Mais cette partie de ma vie est derrière moi et, de cette époque, il ne me reste que mon nom. Et Angus.

Il y a du nouveau chez nous : une petite chatte grise et blanche. Je l'ai appelée Bridget. C'est une drôle de petite bête, avec un doigt en trop à chaque patte et le plus gros ronron qu'on ait jamais entendu. Je suis contente qu'elle soit à moi.

— M. R.

Cet après-midi-là, j'étais étendue dans mon lit avec un sac de glace sur le visage, lorsqu'on a sonné à la porte.

J'ai su aussitôt que c'était Cal. Mon cœur s'est mis à cogner péniblement. J'ai tendu l'oreille en essayant de me concentrer, mais j'avais quand même du mal à entendre la conversation entre maman et lui.

— Eh bien, je ne sais pas, disait maman.

— Maman, je t'en prie... plaidait Mary K., dont la voix me parvenait plus clairement, je vais rester avec eux et je leur servirai de chaperon.

Elle devait se tenir juste en bas des marches. Puis j'ai entendu des pas dans l'escalier. Je surveillais nerveusement la porte, lorsqu'elle s'est ouverte.

Maman est entrée la première, sans doute pour s'assurer que j'étais habillée convenablement et que je ne portais rien de suggestif, dans le genre négligé transparent. J'étais affublée d'une camisole appartenant à mon père et d'un sweat-shirt blanc, sur un pantalon de jogging défraîchi. Maman m'avait aidée à laver mes cheveux tachés de sang, mais je ne les avais pas fait sécher. Ils retombaient sur mes épaules en mèches humides. Bref, j'étais plus laide que je ne l'avais jamais été dans ma vie, jusque-là.

Cal est entré dans ma chambre, et sa présence m'a fait me sentir petite et jeune. Note personnelle : changer la déco.

Il m'a fait un large sourire et a dit :

— Chérie !

J'ai éclaté de rire, même si j'avais mal, et j'ai mis ma main devant mon visage en disant :

— Ouch, ne me fais pas rire.

Ayant vu que j'étais présentable, maman s'est retirée, même si, de toute évidence, le fait qu'il y avait un garçon dans ma chambre la mettait mal à l'aise.

— Elle a fière allure, hein ? a dit Mary K. Dommage que l'Halloween soit passée. Je parierais que d'ici jeudi son visage sera complètement jaune et vert.

J'avais remarqué qu'elle tenait un ourson blanc qui portait une bavette en forme de cœur.

— C'est pour moi ? ai-je demandé.

Mary K. a secoué la tête, l'air embarrassée :

— C'est Bakker qui me l'a offert.

J'ai hoché la tête. Toute la journée, Bakker avait envoyé des fleurs et laissé des mots pour ma petite sœur. Il avait téléphoné plusieurs fois, et quand j'avais pris le téléphone, il m'avait présenté ses excuses. Je savais que Mary K. était sur le point de flancher.

Je la regardais, perchée sur ma chaise.

— Tu n'a pas des devoirs à faire ?

— J'ai promis de vous servir de chaperon, a-t-elle objecté.

Puis, voyant mon expression, elle a levé les mains.

— OK ! OK ! je m'en vais.

Au moment où elle refermait la porte, j'ai regardé Cal.

— Je ne voulais pas que tu me voies ainsi.

À cause de l'enflure de mon nez, j'avais la voix congestionnée et lointaine.

Il a pris un air solennel.

— Tamara m'a raconté ce qui est arrivé. Crois-tu qu'elle l'a fait exprès ?

J'ai pensé au visage de Bree, à la frayeur dans son regard lorsqu'elle avait pris conscience de la gravité de son geste.

— C'était un accident.

Entendant cela, Cal a hoché la tête et m'a tendu un petit sac.

— Qu'est-ce que c'est ?

— Ça, pour commencer, a-t-il fait, me montrant une petite plante en pot de couleur gris argenté, aux feuilles bien découpées et duveteuses.

— Artémise, ai-je annoncé, car j'avais reconnu une des plantes que j'avais vues dans un de mes livres sur les herbes. C'est joli.

Cal a fait signe que oui.

— Armoise vulgaire, une plante très utile. Et ceci, dit-il en me tendant une petite fiole.

Sur l'étiquette, j'ai pu lire : Arnica montana.

— C'est de la médecine homéopathique. Ça vient du magasin d'aliments naturels. C'est pour soigner les blessures dues à un traumatisme, les bleus, des trucs comme ça. J'y ai mis un peu de magye pour t'aider à guérir plus vite, a-t-il murmuré en se penchant sur moi. C'est seulement ce que le médecin a prescrit.

— Cool, ai-je répondu, reconnaissante, me laissant retomber sur mes oreillers.

— Encore une chose, a repris Cal, en sortant du sac une bouteille de Yoo-Hoo. Je parie que tu ne peux rien avaler, mais tu peux boire le Yoo-Hoo à l'aide d'une paille. Ça contient les éléments nutritifs des principaux groupes alimentaires : produits laitiers, gras, chocolat. On pourrait dire que c'est l'aliment par excellence.

J'ai ri, tout en essayant de ne pas bouger les muscles de mon visage.

— Merci. Tu as vraiment pensé à tout.

— Le souper sera prêt dans cinq minutes, a crié maman du bas de l'escalier.

J'ai levé les yeux au ciel, et Cal a souri.

— Je comprends le message, a dit Cal.

Il s'est assis tout doucement sur le bord de mon lit et a pris ma main entre ses deux paumes. J'ai dégluti, un peu perdue, car j'avais très envie de le serrer dans mes bras. *Mùirn beatha dàn*, ai-je pensé.

— Y a-t-il quelque chose que tu aimerais que je fasse pour toi, a-t-il demandé, simplement.

Je savais qu'il voulait dire : Aimerais-tu que j'aille parler à Bree ?

J'ai secoué la tête. Mon visage me faisait souffrir.

— Je ne crois pas, ai-je murmuré. Laisse faire.

— Je laisserai faire pour cette fois mais pas davantage, m'a-t-il prévenue. C'est des conneries.

J'ai hoché la tête. Je me sentais très fatiguée.

— OK, je m'en vais. Appelle-moi plus tard si t'as envie de parler.

Il s'est levé. Puis, tout doucement, du bout des doigts, il a touché mon visage et a fermé les yeux, en marmonnant des mots incompréhensibles. Fermant les yeux à mon tour, j'ai senti que ses doigts réchauffaient mes blessures. Prenant ensuite une longue inspiration, j'ai senti la douleur se dissiper.

Moins d'une minute après, il a rouvert les yeux et reculé d'un pas. Je me sentais beaucoup mieux.

— Merci. Merci d'être venu.

— On se reparle plus tard, a-t-il dit, avant de tourner les talons et de sortir de ma chambre.

Mon visage me semblait plus léger, moins enflé. J'avais moins mal à la tête. J'ai ouvert le contenant d'arnica et mis quatre minuscules pilules sucrées sous ma langue. Ensuite, je suis restée allongée tranquillement et j'ai senti la douleur s'évaporer.

Ce soir-là, avant de me mettre au lit, j'ai constaté que mes deux yeux au beurre noir avaient presque retrouvé leur couleur normale et que l'enflure avait diminué pour la peine. Je pouvais respirer par le nez.

Le lendemain, je suis restée à la maison, même si j'étais beaucoup plus présentable, mise à part l'affreuse suture noire sur ma lèvre.

À 14 h 30 cet après-midi-là, j'ai appelé maman au travail et lui ai dit que j'allais chez Tamara pour y récupérer mes devoirs de la journée.

— Te sens-tu vraiment assez bien pour ça?

— Ouais, je me sens presque complètement rétablie. Je serai là pour dîner.

— Bon, d'accord. Conduis prudemment.

— Oui maman.

J'ai raccroché, attrapé mes clés et mon manteau, enfilé mes chaussures, et pris le chemin du collège. C'est à peu près impossible de cacher une grosse bagnole comme Das Boot, mais je me suis garée sur une rue transversale, à deux pâtés de maison, là où je pensais voir passer la voiture de Bree quand elle rentrerait après les cours. J'aurais pu l'attendre chez elle, mais je n'étais pas sûre qu'elle retournerait directement à la maison.

Je n'avais pas de plan précis. En gros, j'espérais pouvoir la confronter, crever l'abcès une fois pour toutes. Dans le meilleur des mondes possibles, mon initiative donnerait des résultats positifs. Je sentais que j'avais réussi une percée avec mes parents; Mary K. et moi nous étions rapprochées après l'incident avec Bakker; à présent, je voulais régler le litige avec Bree. Les habitudes d'une vie ne sont pas faciles à effacer, et je la voyais toujours comme ma meilleure amie. Je ne pouvais me résoudre à la détester. J'en étais incapable. La scène dans le gymnase m'avait montré à quel point nous avions désespérément besoin de régler cette dispute.

Mais, ce n'était pas seulement cela. J'avais d'autres raisons de vouloir raccommoder les choses entre nous. La magye était la clarté. D'après mes livres, pratiquer la magye au meilleur de ses capacités, c'était y voir plus clair. Si je continuais de vivre en laissant une querelle non résolue, cela pourrait sérieusement miner mes pouvoirs magyques.

J'ai failli rater la voiture de Bree lorsqu'elle a tourné le coin, au bout du pâté de maisons. J'ai démarré dès que je l'ai vue et j'ai entrepris de la suivre lentement, tout en restant aussi loin que possible.

Heureusement, Bree a tout de suite pris le chemin de sa maison. Je le connaissais assez bien pour rester à bonne distance, en me cachant derrière d'autres voitures.

Quand elle est arrivée chez elle, je me suis garée à l'autre bout de la rue, derrière un monospace marron, et j'ai coupé le moteur.

Mais juste comme j'allais sortir de ma voiture, Raven est arrivée dans sa Peugeot noire cabossée et Bree est ressortie de chez elle.

J'ai attendu. Les deux filles ont discuté un moment sur le trottoir, puis elles sont montées dans la voiture de Raven et sont reparties.

J'étais déconcertée. Cela ne faisait pas partie de mon plan. En ce moment, j'étais censée discuter avec Bree, sinon me disputer avec elle. Raven n'était pas dans mon scénario. Où allaient-elles donc ?

Curieuse, j'ai décidé de les suivre. Quatre pâtés de maisons plus loin, je les ai aperçues sur Westwood. Elles se dirigeaient vers le nord pour sortir de la ville. Je devinais déjà leur destination.

En arrivant près du champ de maïs situé aux confins de la ville, où notre cercle avait tenu sa première assemblée, Raven s'est tassée sur l'accotement et a garé sa voiture.

J'ai ralenti, puis j'ai attendu qu'elles s'enfoncent dans le champ fraîchement fauché, avant de dissimuler Das Boot sous un énorme chêne, de l'autre côté du chemin. Même si ses branches étaient presque complètement dégarnies, son tronc était épais et le sol légèrement en pente, de sorte que celui qui aurait jeté un œil dans cette direction n'aurait pu apercevoir ma voiture.

J'ai traversé la route en accélérant le pas, et me suis frayé un chemin à travers les restes broussailleux de ce qui avait été une étendue de longs épis dorés.

Je n'avais pu repérer Raven et Bree devant moi, mais je savais qu'elles se dirigeaient vers le vieux cimetière méthodiste où nous avions célébré Samhain, dix jours plus tôt. Dix jours plus tôt, lorsque Cal m'avait embrassée devant tout le cercle et que Bree et moi étions devenues des ennemies jurées.

J'avais l'impression que cela faisait beaucoup plus longtemps.

J'ai franchi le ruisseau d'un bond et escaladé une colline, pour me retrouver dans un carré de vieux feuillus. J'ai ralenti le pas, les sens en alerte, à l'écoute. Je ne savais pas vraiment ce que je faisais là et je me sentais un peu comme un rôdeur. Mais je voulais savoir ce qu'il en était de leur nouveau cercle, et je n'ai pu résister à l'envie de découvrir ce qu'elles tramaient.

Aux confins du cimetière, je les ai vues : elles se tenaient près du sarcophage de pierre qui nous avait servi d'autel le jour de Samhain. Elles restaient là sans dire un mot, et j'ai pensé qu'elles attendaient quelqu'un.

Je me suis accroupie sur la terre humide et froide, à côté d'une ancienne pierre tombale. Je ressentais une petite douleur au visage : la suture sur ma lèvre piquait. J'aurais dû apporter de l'arnica ou du Tylenol en quittant la maison.

Bree se frottait les bras à deux mains, dans un mouvement de va-et-vient, de haut en bas. Raven repoussait sans cesse les mèches de cheveux noirs qui lui tombaient dans les yeux. Les deux paraissaient nerveuses et excitées.

Puis Bree s'est retournée et a scruté l'obscurité. Raven s'est immobilisée, et mon cœur s'est mis à cogner dans le silence du soir.

La personne qui est venue les rejoindre était une femme, ou plutôt une fille ; elle devait avoir à peine deux ans de plus que Raven. Peut-être même seulement un an de plus. Plus je la regardais, plus elle me paraissait jeune.

C'était une beauté, mais pas une beauté dont on a l'habitude. Je dirais… une beauté d'un autre monde. Ses beaux cheveux blonds contrastaient avec sa veste de moto en cuir noir. Sa frange, presque blanche, était très courte. Elle avait les pommettes hautes, une bouche pleine et trop large pour son visage. Mais le plus fascinant, même de loin, c'étaient ses yeux. Ils étaient grands, profonds, et tellement sombres, qu'on aurait dit des trous noirs qui, lorsqu'ils attiraient la lumière à l'intérieur, ne la laissaient plus jamais ressortir.

Elle a salué Bree et Raven à voix si basse que je n'ai pu entendre qu'un léger murmure. J'ai cru deviner qu'elle leur posait des questions. Ses yeux sombres se fixaient ça et là, tels des projecteurs négatifs scrutant les environs.

— Non, personne ne nous a suivies, a répondu Bree.

— Pas de danger, a renchéri Raven en riant. Personne ne vient par ici.

Mais la fille continuait à regarder autour d'elle, ses yeux revenant sans arrêt à la pierre tombale derrière laquelle j'étais tapie. Si cette fille était une sorcière, elle découvrirait ma présence. Vite, j'ai fermé les yeux, tentant de faire taire toute chose, me concentrant pour devenir invisible, essayant d'embrouiller autant que possible le tissu de la réalité. Je ne suis pas là, ai-je répété à l'Univers. Je ne suis pas là. Il n'y a rien ici. Vous ne voyez rien, vous n'entendez rien, vous ne sentez rien. J'ai répété cela lentement, encore et encore, et finalement, les trois filles ont recommencé à discuter.

Me déplaçant un centimètre à la fois, je me suis retournée pour leur faire face.

— Une vengeance? a répété la fille, d'une voix riche et mélodieuse.

— Oui, a répondu Raven. Tu vois, il y a…

À l'instant où elle prononçait ces mots, une brise a sifflé entre les branches, et la suite m'a échappé. Elles parlaient si bas que c'était uniquement en me concentrant du mieux possible que j'arrivais à entendre des bribes de conversation.

— De la magie noire, a précisé Raven, et j'ai vu le trouble dans les yeux de Bree.

Puis, d'autres mots ont flotté jusqu'à mon oreille :

— ... pour détruire l'amour.

C'était l'autre fille qui avait parlé. J'ai regardé son aura. À côté des auras sombres de Bree et de Raven, la sienne était faite de lumière pure, luisant comme une lame dans l'obscurité de plus en plus opaque du cimetière.

— Leur cercle... notre nouvelle assemblée... une fille qui a du pouvoir... Cal... les samedis soirs, à différents endroits...

Elles continuaient à discuter, et j'étais de plus en plus frustrée de ne pouvoir tout entendre de leur échange. Le soleil s'est couché très vite, comme si on avait réduit l'intensité d'une ampoule. J'étais frigorifiée.

Je me suis appuyée contre la pierre tombale. Qu'est-ce que cela voulait dire? Elles avaient mentionné le nom de Cal. J'en déduisais que c'était moi, « la fille avec du pouvoir » dont elles parlaient. Qu'est-ce qu'elles manigançaient? Il fallait que je prévienne Cal.

Mais je ne pouvais pas bouger sans être repérée. J'étais condamnée à rester là, sur la terre gelée et humide. Je sentais l'engourdissement envahir mes fesses et mes jambes, tandis que mes bleus me faisaient de plus en plus souffrir.

Enfin, au bout de 40 minutes interminables, la fille est repartie en silence par où elle était venue. Lorsqu'elle s'est engouffrée dans le noir entre les squelettes d'arbres, on ne voyait plus que sa chevelure lumineuse. En traversant le cimetière, Bree et Raven sont passées à moins de trois mètres de ma cachette, avant de reprendre le sentier jusqu'au champ de maïs. Une minute plus tard, j'ai entendu la voiture de Raven éructer et démarrer, la brise du soir portant à mes narines des relents de son pot d'échappement.

Je me suis relevée et j'ai secoué mes vêtements. Je n'aspirais plus qu'à rentrer chez moi et à prendre une bonne douche chaude. Le champ de maïs baignait maintenant dans une totale noirceur, et j'avais les nerfs à vif en repensant à la scène inquiétante à laquelle je venais d'assister. Pendant une seconde, j'ai eu l'impression que quelqu'un fixait ma nuque, mais lorsque j'ai fait volteface, il n'y avait personne. Je suis retournée à ma voiture au pas de course, j'y suis montée à la hâte et j'ai verrouillé les portes.

Mes mains étaient si gelées et raides, que j'ai eu du mal à mettre la clé dans le contact. J'ai allumé les phares et fait un rapide demi-tour sur Westwood. J'étais effrayée et irritée, et l'idée que j'avais eue de clarifier la situation avec Bree me paraissait à présent naïve et risible.

Qu'est-ce qu'elles manigançaient ? Étaient-elles furieuses contre Cal et moi au point de faire appel à la magie noire ? Elles se mettaient en danger en posant des gestes stupides et de courte vue.

Lorsque j'ai garé ma voiture dans notre entrée, je tremblais toujours et j'étais gelée jusqu'aux os. Une fois dans ma chambre, je me suis débarrassée rapidement de mes vêtements humides. Pendant que l'eau chaude calmait mes frissons et mes craintes, je réfléchissais à tout cela.

Après le dîner, j'ai appelé Cal et lui ai demandé de venir me rejoindre près du gros chêne, le lendemain, à la fin des classes.

18

Désir

Ce soir, Angus et moi sommes restés à la maison, abattus. Nous pensions à ce que serait notre vie si nous étions chez nous et que tout était comme avant. J'ai du mal à croire que personne ici ne célèbre les récoltes, l'abondance automnale. La fête qui se rapproche le plus de nos célébrations, c'est Action de grâce en novembre, mais cela me semble se résumer strictement aux pèlerins, aux Indiens et à la dinde.

L'été a été superbe : chaud, calme, rempli de journées longues et lentes, et de nuits animées des chants des grenouilles et des grillons. Mon jardin était magnifique et j'en étais très fière. Le soleil, la terre et la pluie ont accompli leur magye sans mon aide et sans même que j'en fasse la demande.

Bridget est en santé et dodue. C'est la championne de la chasse aux souris; elle peut même attraper des grillons.

Mon emploi est ennuyeux, mais correct. Angus apprend à fabriquer de beaux meubles. Nous n'avons pas beaucoup d'argent, mais nous sommes en sécurité ici.

— M. R.

— Tu dois te demander pourquoi je t'ai demandé de venir me rencontrer ici, ai-je dit à Cal mercredi après-midi, au moment où il se glissait sur le siège du passager.

— Parce que tu voulais abuser de mon corps ? a-t-il lancé, et j'ai ri en le serrant très fort, tandis qu'il cherchait à trouver un coin de mon visage où il pourrait m'embrasser sans me faire mal.

J'allais beaucoup mieux : disons que j'étais guérie à 90 pour cent, mais mon visage était encore sensible.

— Essaie ici, ai-je dit, en mettant doucement le doigt sur mes lèvres.

Lentement, avec mille précautions, il a approché sa bouche de la mienne et y a appliqué une toute petite pression.

— Mmm, ai-je fait.

Puis, il s'est reculé et m'a regardée en disant :

— Assoyons-nous sur le siège arrière.

Je trouvais l'idée excellente. Le siège arrière de la Valiant était large et spacieux et nous y étions à l'aise. Il nous garantissait aussi une certaine intimité, tandis que le vent de novembre soufflait contre les vitres et sifflait sous la carrosserie.

— Comment te sens-tu ? a demandé Cal, quand nous avons été bien installés. Est-ce que l'arnica t'a fait du bien ?

J'ai fait signe que oui.

— Je crois que oui. Les bleus se sont estompés très vite.

Il a souri et m'a effleuré la tempe.

— Presque.

Je m'étais promis de lui raconter ce que j'avais vu la veille, mais maintenant que nous étions ensemble, je n'y pensais plus. Je m'abandonnais dans ses bras avec délices, pendant que ses mains caressaient ma peau, et je préférais ne pas penser au fait que j'avais suivi Bree et Raven et que je les avais espionnées.

— Es-tu bien ainsi ? m'a demandé Cal d'une voix indolente, en me caressant le dos.

Il avait fermé les yeux et plié les genoux, en appuyant ses pieds contre la portière.

— Hmm, hmm, ai-je fait en passant ma main sur sa poitrine ferme.

Une seconde après, je faisais sauter le premier bouton de sa chemise et je glissais ma main à l'intérieur.

— Hmmm… a soupiré Cal, et il s'est retourné un peu afin que nous soyons face à face, poitrine contre poitrine.

Ses baisers étaient si doux et si tendres, que je n'ai pas eu mal du tout.

Puis, j'ai senti sa peau chaude contre la mienne, et j'ai pris conscience que nos chemises avaient été relevées de manière à ce que nos ventres se touchent. C'était délicieux et, entourant ses hanches de mes jambes, j'ai senti, à travers mes *leggings*, les petites côtes de son jean en velours contre ma cuisse.

Tout en pressant mon corps contre le sien, je n'arrêtais pas de penser : c'est lui, le bon, le seul. Mon seul amour. Mon *mùirn beatha dàn*. Celui qui m'était destiné. Tout cela était déjà écrit.

Cal s'est détaché légèrement, puis m'a murmuré à l'oreille :

— Suis-je le premier garçon dont tu as été aussi proche ?

— Oui, ai-je répondu dans un souffle.

J'ai senti son sourire s'épanouir contre ma joue, et il m'a serrée plus fort.

— Je ne suis pas la première pour toi... ai-je constaté.

C'était l'évidence même.

— Non, a-t-il avoué au bout d'un moment. Ça t'ennuie ?

— As-tu couché avec Bree ?

La question m'était sortie de la bouche sans crier gare. J'ai tressailli, car j'aurais voulu me rétracter aussitôt.

Cal a eu l'air surpris.

— Bree ? Pourquoi ? a-t-il dit en secouant la tête. Où est-ce que t'as pris ça ?

— C'est elle qui me l'a dit, ai-je poursuivi, me préparant à entendre la cruelle vérité et à faire comme si cela n'avait pas d'importance.

Fixant mes doigts posés sur sa poitrine, j'attendais la suite…

— Bree t'a dit qu'elle avait couché avec moi ?

J'ai fait signe que oui.

— Tu l'as crue ?

J'ai haussé les épaules, tout en essayant de vaincre le sentiment de panique qui menaçait de m'envahir.

— Je ne savais pas. Bree est magnifique et d'habitude, elle obtient toujours ce qu'elle veut. Alors, je suppose que cela ne pourrait pas me surprendre.

— Quand j'embrasse quelqu'un, je ne m'en vante pas, a dit Cal en pesant ses mots. Je pense que ces choses doivent rester privées.

Mon cœur menaçait d'exploser.

— Mais je vais te le dire, parce que je ne veux pas de secret malsain entre nous. Oui, Bree m'a bien fait sentir que c'était ce qu'elle désirait. Mais je n'étais pas disponible à ce moment-là, alors cela ne s'est pas produit.

J'ai froncé les sourcils.

— Pourquoi n'étais-tu pas disponible ?

Il s'est mis à rire, écartant mes cheveux de mon visage.

— Je t'avais déjà rencontrée.

— Et tu as vu la sorcière au premier coup d'œil, ai-je laissé échapper.

J'ai frissonné, souhaitant une fois encore pouvoir me rétracter.

Cal a secoué la tête, l'air perplexe :

— Que veux-tu dire ?

— Raven et Bree ont dit… que tu es avec moi seulement parce que je suis une sorcière, une sorcière puissante.

— Et c'est ce que tu crois ? a demandé Cal, d'une voix plus froide.

— Je ne sais pas, ai-je répondu.

Je commençais à me sentir affreusement mal. Pourquoi avais-je entamé cette conversation ?

Cal est resté silencieux et immobile pendant quelques minutes.

— Je ne sais pas quelle réponse est la bonne. Bien sûr, tes pouvoirs en matière de sorcellerie m'excitent beaucoup. L'idée que nous puissions travailler ensemble ; l'idée de t'enseigner tout ce que je sais est… terriblement attrayante. Et pour ce qui est du reste, je pense seulement... que tu es belle. Tu es jolie et séduisante, et je suis attiré par toi. Je ne comprends d'ailleurs pas pourquoi nous avons cette conversation, puisque je t'ai parlé de ma *mùirn beatha dàn*.

Je ne disais rien, car j'avais l'impression de m'être enfoncée dans un trou béant.

— Peux-tu me faire une faveur? a demandé Cal.

— Quoi? ai-je demandé, craignant ce qu'il allait me dire.

— Pourrais-tu ignorer ce que disent les autres?

— Je vais essayer, ai-je répondu doucement.

— Pourrais-tu me faire une autre faveur?

Je l'ai regardé.

— Pourrais-tu m'embrasser encore? Ça commençait à devenir intéressant.

Riant, malgré mon envie de pleurer, je me suis rapprochée et je l'ai embrassé. Il m'a serrée de toutes ses forces, me pressant contre son corps, de la poitrine jusqu'aux genoux. Ses mains me caressaient le dos et exploraient ma peau sous ma chemise. Ses doigts très doux se sont arrêtés sur la petite tache de naissance aux bords soulevés que j'ai sous le bras droit.

— J'ai toujours eu cela, ai-je murmuré.

Il ne l'avait jamais vue, mais c'était une marque rose d'environ quatre centimètres de long. J'avais toujours trouvé qu'elle ressemblait à une petite dague. Cette pensée me faisait sourire à présent : on aurait pu dire qu'elle ressemblait à un athamé.

— Je l'aime, a murmuré Cal, en repassant ses doigts dessus. Cela fait partie de toi. Puis il m'a embrassée encore une fois. Je me suis laissée emporter par une immense vague d'émotion.

— Pense à la magye, a susurré Cal à mon oreille, mais mes pensées éparpillées ne comprenaient pas ce qu'il voulait dire.

Il a continué à me toucher en poursuivant :

— La magye est un sentiment très fort, et ceci est un sentiment très fort. Mets-les ensemble.

Si j'avais essayé de parler à ce moment-là, un charabia incompréhensible serait sorti de ma bouche. Mais dans mon esprit, ses mots se sont mariés et ont pris tout leur sens. Je pensais à ce que je ressentais quand je faisais de la magye ou que j'attirais la magye : cette sensation de pouvoir, de complétude ; cette impression d'être connectée aux choses, de faire partie de l'Univers. Avec les mains de Cal courant sur mon corps, je ressentais quelque chose de similaire et de néanmoins très différent : cela aussi, c'était du pouvoir et un genre d'accumulation, mais c'était également comme une porte menant dans un autre monde.

Puis, tout à coup, j'ai compris. J'ai tout compris d'un coup. Nos bouches se touchant, nos souffles s'entremêlant, nos esprits en harmonie, mes mains sur sa peau, ses mains sur mon corps : c'était comme au milieu d'un cercle, lorsque l'énergie nous enveloppe de sorte que nous puissions l'emmagasiner.

L'énergie nous entourait de toutes parts, nous unissait. Ma chemise était remontée sur ma poitrine, mes seins contre son torse chaud ; nous étions enlacés, nous nous embrassions et la magye lançait des étincelles. Chaque mot que j'aurais pu dire en cet instant aurait été une incantation. Toute pensée aurait été une directive magyque. Tout ce que j'aurais pu souhaiter se serait réalisé.

C'était plus que grisant.

Quand nous nous sommes arrêtés et que j'ai ouvert les yeux, il faisait noir dehors. Je n'avais aucune idée de l'heure et lorsque j'ai consulté ma montre, j'ai vu que je serais en retard pour le souper.

En gémissant, j'ai baissé ma chemise.

— Quelle heure est-il ? a demandé Cal, commençant à se boutonner.

— Il est 18 h 30. Il faut que j'y aille.

— OK.

J'allais ouvrir la portière quand il m'a attirée vers lui et m'a assise sur ses genoux.

— C'était incroyable, a-t-il murmuré en me donnant un baiser sur la joue.

Puis il m'a fait un large sourire.

— Je suis sérieux, c'était incroyable !

Je suis partie à rire, et je me sentais encore très puissante quand il a ouvert la portière de la voiture.

— On se voit demain. Je penserai à toi toute la soirée, a-t-il ajouté.

Il est retourné à sa voiture. Pendant que je démarrais le moteur de Das Boot, j'ai été submergée par une violente émotion.

C'est beaucoup plus tard ce soir-là, allongée dans mon lit, que j'ai réalisé que je ne lui avais pas parlé de la sorcière blonde.

Jeudi matin, la seule place de stationnement disponible était devant Brise, la rutilante BMW de Bree. J'ai pensé combien il me serait facile de l'embouter, puis j'ai souri devant cette pensée qui n'avait rien de magyque.

— Tu as changé, a dit Mary K., pendant que je faisais une manœuvre pour me garer.

Puis elle s'est regardée dans le miroir pour appliquer son brillant à lèvres. Je l'ai regardée, étonnée. M'aurait-elle aperçue dans la voiture avec Cal hier ?

— Qu'est-ce que tu veux dire ?

— Tes bleus ont presque disparu, a-t-elle répondu, avant de jeter un œil dehors. Oh, bon sang ! il est là.

J'ai plissé les yeux en voyant Bakker Blackburn qui faisait les cent pas près du pavillon des sciences. De toute évidence, il attendait Mary K..

— Mary K., il a essayé de te faire du mal, lui ai-je rappelé.

Elle s'est mordu la lèvre sans cesser de le regarder.

— Il s'en veut, a-t-elle murmuré.

— Tu ne peux pas lui faire confiance, ai-je dit en ramassant mon sac à dos.

— Je sais, a dit ma sœur, au moment où nous sortions de la voiture. Je sais.

Puis elle est allée retrouver ses copines, et je me suis dirigée vers la bande du cercle.

— Morgan.

C'était la voix de Raven. En me retournant, j'ai vu Bree qui me suivait à quelques pas. Je n'ai rien dit.

— Ton visage a repris son air normal, a dit Raven d'un air narquois. As-tu prononcé une formule magyque pour t'arranger la face? Oh! attends, tu n'es pas censée faire ça, hein?

J'ai poursuivi mon chemin, mais j'ai vite compris que Raven et Bree avaient l'intention de me suivre jusqu'à l'entrée.

Jenna et Matt ont été les premiers à nous voir. Puis Cal m'a aperçue et m'a fait un petit sourire complice, que je lui ai rendu. Son regard s'est refroidi quand il a reconnu Bree et Raven derrière moi.

— Salut les filles! a lancé Jenna, toujours aussi sympathique. Bree, comment ça va?

— À fond de train, a répondu Bree, sarcastique. Tout va pour le mieux. Et toi?

— Super, a dit Jenna. Je n'ai pas fait de crise d'asthme de toute la semaine.

Lorsqu'elle m'a regardée, j'ai baissé les yeux.

— Vrai? a fait Raven.

— Hé! Bree, a appelé Seth Moore en s'approchant, son pantalon éléphant lui tombant sur les chevilles.

— Salut! a rétorqué Bree, ce mot tout simple sonnant dans sa bouche comme une promesse. Pourquoi tu ne m'as pas appelée hier soir?

— Je ne savais pas que je devais t'appeler… Tu sais quoi? Je vais t'appeler deux fois ce soir.

Il avait l'air de jubiler devant cette invitation sans équivoque.

— C'est un rendez-vous, a conclu Bree, de la voix obséquieuse d'une *marie-couche-toi-là* que n'importe quel idiot possédant deux neurones aurait pu interpréter sans difficulté.

— Arrête ton cirque, Bree, a dit Robbie soudainement.

Tous les autres ont eu l'air étonnés, mais je me rappelais le regard que j'avais surpris sur son visage ce jour-là, au gymnase.

— Quoi? a lancé Bree en ouvrant de grands yeux.

— Arrête ton cirque, a-t-il répété, l'air exaspéré et en rogne. Ce n'est pas un rendez-vous. Seth, va te faire voir, tu ne l'appelleras pas.

Nous regardions tous Robbie, dont le visage était fermé et dur. Seth le toisait d'un air de défi.

— Pour qui tu te prends? a-t-il demandé sur un ton provocant. Pour son père?

Robbie a haussé les épaules, et pour la première fois, j'ai remarqué qu'il était très grand, très costaud. Il était plutôt impressionnant. À côté de lui, Seth avait l'air d'un jeune freluquet.

— Peu importe. Oublie-la.

— Robbie! a lancé Bree, les mains sur les hanches. Pour qui tu te prends? Je sors avec qui je veux! Bon Dieu, tu es pire que Chris!

Robbie l'a regardée dans les yeux et a repris, plus calmement, en soutenant son regard :

— Arrête, Bree. Tu ne veux pas de lui.

Lorsque j'ai regardé Jenna, je l'ai vue soulever un sourcil.

Bree a ouvert la bouche comme pour dire quelque chose, mais aucun son n'en est sorti. Elle était comme hypnotisée.

— Hé! a vociféré Seth. Elle ne t'appartient pas! Tu ne peux pas lui dire qui elle veut!

Lentement, Robbie a levé les yeux et a regardé Seth comme s'il s'agissait d'un insecte.

— Oublie-la, a-t-il répété, puis il a tourné les talons et est entré dans le collège au son de la cloche.

Prise par surprise, Bree l'a regardé s'éloigner, puis elle a croisé mon regard, et c'était comme au bon vieux temps, lorsque nous pouvions échanger une montagne d'informations en une fraction de seconde. Mais aussitôt après, elle a tourné les talons et est repartie avec Raven. Seth était resté planté là, l'air stupide, et il a fini par décoller en marmonnant entre ses dents.

— Elle est bien capable de les avoir tous les deux, a dit Sharon d'un air enjoué.

Cal m'a pris la main.

— Ouais, ai-je répliqué, en me posant des questions sur la scène à laquelle nous venions d'assister. Et ils peuvent l'avoir aussi.

19

Sky et Hunter

11 mars 1984

    Nous avons conçu un enfant. Ce n'était pas pla-
nifié, mais c'est arrivé de toute façon. Ces deux der-
nières semaines, j'ai essayé de trouver la force de me
faire avorter, de sorte que cet enfant ne souffre jamais
autant que nous avons souffert dans cette vie. Mais
j'en suis incapable. Je n'en ai pas la force. Alors,
l'enfant grandit dans mon ventre, et je vais accou-
cher en novembre.

    Ce sera une fille, et ce sera une sorcière, mais je
ne lui enseignerai pas notre art. Cela ne fait plus
partie de ma vie, et cela ne fera pas non plus partie
de la vie de mon enfant. Nous l'appellerons Morgan,
car c'est le nom de la mère d'Angus. C'est un nom
puissant

— M. R.

Vendredi soir, nous sortions ensemble, Cal et moi. On allait voir un film en compagnie de Jenna, Matt, Sharon et Ethan.

Sharon venait me prendre, puis nous allions rejoindre Cal chez lui. À sept heures, sa Mercedes était devant chez moi. Je suis sortie en l'entendant klaxonner.

— Bye ! ai-je crié, en claquant la porte derrière moi.

Ethan avait pris place sur le siège avant ; je me suis donc assise à l'arrière et nous avons tourné à gauche sur Riverdale.

— Es-tu obligée de conduire comme une malade ? a demandé Ethan en s'allumant une cigarette.

— Tu ne vas quand même pas transformer ma voiture en cendrier, lui a crié Sharon, en pesant sur l'accélérateur.

Ethan a baissé la vitre et a soufflé sa fumée au dehors, d'un geste d'expert.

— Hum, Ethan, on gèle à l'arrière, ai-je dit.

En soupirant, Ethan a jeté sa cigarette par la vitre, et celle-ci est allée s'écraser sur le pavé dans une gerbe d'étincelles orangées.

— Maintenant, tu prends la rue pour un dépotoir! a dit Sharon. Super!

— Morgan a froid, s'est défendu Ethan en remontant sa vitre. Mets en marche son siège chauffant.

— Morgan, a-t-elle lancé en me jetant un coup d'œil dans le rétroviseur. Veux-tu le siège chauffant?

— Non, merci, ai-je dit en essayant de ne pas rire.

— Et pour le vibromasseur? a renchéri Ethan. Attention Sharon! Tu es passée à quelques centimètres de ce camion!

— Tu paniques pour rien! a répondu Sharon en levant les yeux au ciel. Et il n'y a pas de vibromasseur dans cette voiture.

— Ah, tu l'as laissé à la maison?

Ethan avait lancé sa dernière remarque d'un ton innocent, et j'ai finalement éclaté de rire pendant que Sharon essayait de lui donner un coup de poing tout en évitant d'avoir un accident.

J'ai pensé qu'il serait temps qu'il se passe quelque chose entre eux, mais je n'étais pas certaine que Sharon se soit déjà rendu compte qu'elle était amoureuse d'Ethan.

Nous sommes arrivés chez Cal sans encombre. Il y avait une bonne douzaine de voitures dans l'allée.

— La mère de Cal a probablement réuni son cercle, a dit Sharon.

Je n'avais pas revu Selene Belltower depuis le soir où elle m'avait aidée à apaiser mes peurs, et je voulais la remercier encore. Cal est venu nous ouvrir, m'a embrassée, et nous a conduits dans la cuisine, où Matt buvait un soda. Jenna était au téléphone, un crayon à la main, pour noter les heures de représentations.

Appuyé au comptoir, Cal m'a attirée à lui.

Jenna a raccroché.

— OK, le film commence à 20 h 15 ; il faudrait partir d'ici aux environs de 19 h 45.

— Super, a dit Matt.

— On a donc un peu de temps devant nous. Vous voulez boire quelque chose ? a demandé Cal.

Puis, l'air de s'excuser, il a dit :

— Il ne faut pas parler trop fort, maman a réuni son cercle et ils vont commencer bientôt.

— À quelle heure ont-ils l'habitude de commencer ? ai-je demandé.

— Pas avant 22 h, mais les gens arrivent tôt, discutent et font le point sur leur semaine.

— J'aurais aimé voir ta mère pour la remercier encore une fois.

— OK, suis-moi, a-t-il répondu, me prenant par la main, avant de lancer à la ronde : nous revenons tout de suite.

— As-tu pris le dernier coca ? a demandé Sharon à Ethan.

— Je vais le partager avec toi.

La réponse d'Ethan nous est parvenue assourdie tandis que nous nous éloignions.

Souriants, nous avons traversé le salon, une pièce plus guindée, et la grande salle, plus informelle.

— Il se passe définitivement quelque chose là, a-t-il dit, et j'ai hoché la tête.

— Ça va faire des étincelles quand ils vont former un couple.

Cal a donné deux coups brefs sur la porte de bois donnant sur la pièce immense où Selene avait l'habitude de réunir son cercle. Puis il l'a poussée et nous sommes entrés. C'était très différent du soir où j'étais arrivée ici seule, bouleversée, complètement chavirée. La pièce rayonnait à présent de la lumière vacillante de centaines de chandelles. L'air embaumait l'encens, et il y avait des gens, hommes et femmes, agglutinés çà et là, en train de discuter.

— Morgan, ma chère, heureuse de te voir.

En me retournant, j'ai aperçu Alyce, de la boutique Magye pratique. Elle portait une longue tunique de batik violette, et ses cheveux argentés lui retombaient sur les épaules. J'ai dit :

— Bonjour. J'avais oublié qu'elle appartenait au cercle de Starlocket. J'ai vite fait le tour de la salle des yeux à la recherche de David, le commis qui m'avait rendue nerveuse. Il m'a vue et m'a souri, et je lui ai fait un petit sourire timide.

— Comment vas-tu ? a demandé Alyce, me faisant sentir que c'était plus qu'une question de simple politesse.

— Des hauts et des bas, ai-je répondu après un moment de réflexion.

Elle a hoché la tête comme pour dire qu'elle comprenait.

Cal s'était éloigné un moment, et il revenait accompagné de sa mère. Elle portait une longue tunique ample d'un beau rouge brillant, décorée de lunes, d'étoiles et de soleils dorés. C'était superbe.

— Allô Morgan ! a-t-elle dit de sa belle voix riche.

Puis, prenant mes deux mains entre les siennes, elle m'a embrassée sur les joues, à l'européenne. Je me sentais comme à la cour du roi. Elle m'a regardé dans les yeux et a posé une main sur ma joue. Au bout d'un moment, elle a hoché la tête.

— Tu as passé un moment difficile, a-t-elle murmuré. J'ai peur que ça ne le soit de plus en plus. Mais tu es forte...

— Oui, je suis très forte, me suis-je surprise à articuler clairement.

Selene Belltower m'a examinée d'un œil appréciateur, puis elle nous a adressé un large sourire en signe d'assentiment. Cal lui a rendu son sourire et m'a pris la main.

Puis, balayant la pièce des yeux, son regard s'est arrêté sur une femme.

— Cal, j'aimerais te présenter quelqu'un, a-t-elle dit, et j'ai cru déceler, dans sa voix, un sous-entendu dont la signification m'échappait.

J'ai suivi son regard et j'ai failli sauter au plafond en voyant la fille aux cheveux blonds que Bree et Raven avaient rencontrée en secret dans le cimetière. J'ai ouvert la bouche pour dire quelque chose, mais une tension dans la main de Cal m'a obligée à lever les yeux vers lui.

J'ai vu sur son visage, le regard le plus extraordinaire qui soit. Si j'essayais de le décrire, je dirais que c'était un regard de… prédateur. J'ai tressailli bien malgré moi. J'avais tout à coup l'impression de ne pas le connaître du tout.

Je l'ai suivi lorsqu'il a traversé la pièce.

— Sky, voici mon fils, Cal Blaire, a dit Selene. Cal, je te présente Sky Eventide.

Sans voix, Cal a lâché ma main et l'a tendue à la jeune fille. Celle-ci lui a serré la main en le fixant de ses yeux noirs, avec insistance. Je la détestais. Devant le regard appréciatif qu'ils s'échangeaient sans la moindre gêne, mon estomac s'est noué. J'aurais voulu la griffer, la mettre en pièces ; je frémissais d'appréhension.

Puis, Cal m'a regardée.

— Voici ma petite amie, Morgan Rowlands, a-t-il dit.

Il m'avait présentée comme sa petite amie, ce qui était à moitié rassurant. Puis, les yeux noirs de Sky se sont posés sur moi, tels deux morceaux de charbon. Nous nous sommes serré la main, et j'ai senti la force qui se dégageait de sa poigne.

— Morgan, a répété Sky.

Elle était anglaise et avait un incroyable accent musical, une voix mélodieuse, une voix qui m'a aussitôt donné l'envie de l'entendre chanter, psalmodier des formules magiques, scander des rituels. Ce qui m'a fait la haïr encore davantage.

— Selene m'a parlé de toi, a-t-elle repris. J'espère avoir l'occasion de te connaître.

Jamais dans cent ans, ai-je pensé, tout en m'efforçant de tendre les muscles de mon visage pour esquisser un semblant de sourire. Je sentais bien que Cal était tendu. Je sentais la tension dans tout son corps, tandis qu'il la mangeait des yeux. Sky Eventide regardait Cal calmement, comme si elle voyait la bataille qui se livrait en lui ; comme si elle était déterminée à lui donner le change.

— Je crois que tu connais Hunter, a-t-elle fait, indiquant quelqu'un qui nous tournait le dos, derrière elle.

La personne s'est retournée, et j'ai failli cesser de respirer. Si Sky était le jour, Hunter était le soleil. Ses cheveux étaient d'un bel or pâle, sa peau fine et blême parsemée de taches de rousseur sur les joues et le nez. Il avait de grands yeux verts très clairs, sans la moindre trace de bleu, de brun ou de gris. Sa beauté était frappante et j'en ai été toute retournée. Comme pour

Sky, je l'ai détesté au premier coup d'œil, d'une façon viscérale, inexplicable.

— Oui, je connais Hunter, a répondu Cal sur un ton neutre, sans lui tendre la main.

— Cal, a dit Hunter, en croisant son regard puis, il s'est tourné vers moi. Et tu es ?

Je n'ai pas répondu, je ne lui ai même pas rendu son sourire.

— Morgan Rowlands, a dit Sky à ma place. La petite amie de Cal. Morgan, je te présente Hunter Niall.

Je ne disais toujours rien et Hunter m'a jeté un regard inquisiteur, comme s'il voulait voir mon squelette à travers moi. Cela m'a rappelé comment Selene Belltower m'avait regardée la première fois, mais ça ne m'avait pas fait de mal. J'avais une envie irrépressible de me dérober aux regards de ces individus. Je me sentais vide et tremblante à l'intérieur. Je souhaitais désespérément retourner dans la cuisine, redevenir une simple jeune fille s'apprêtant à passer une soirée au cinéma avec des amis.

— Allô Morgan! a fini par dire Hunter.

J'ai remarqué qu'il était Anglais lui aussi.

— Cal, ai-je dit en essayant de ne pas m'étouffer, il faut qu'on s'en aille. Le cinéma.

Ce n'était pas vrai — il nous restait une bonne demi-heure avant l'heure du départ — mais je n'aurais pas supporté de rester là une minute de plus.

— Oui, a-t-il répondu, baissant les yeux. Oui. Bon cercle! a-t-il ajouté en se tournant vers Sky.

— Bien sûr, a-t-elle dit.

J'aurais voulu sortir de là en courant. Je m'imaginais Sky et Cal en train de s'embrasser, de s'entrelacer, de lutter sur le lit de Cal. Je détestais me sentir aussi jalouse de lui, car je savais trop bien à quel point la jalousie peut être destructrice. Mais je n'y pouvais rien.

— Cal? a fait Senele, alors que nous allions franchir la porte. As-tu une minute?

Il a fait signe que oui, puis, me serrant la main avant de la lâcher :

— Je reviens dans une seconde.

Il est allé retrouver sa mère. J'ai continué à marcher, retraversant toutes les pièces dans l'autre sens. J'étais chaude et moite, et je ne me sentais pas la force de faire face à Jenna, Matt, Sharon et Ethan. Il y avait une salle de bain au bout du corridor ; je m'y suis engouffrée et j'ai fermé la porte à clé. Plusieurs fois, je me suis aspergé le visage d'eau froide et j'ai bu dans le creux de mes mains.

Qu'est-ce qui me prenait ? Lentement, ma respiration s'est calmée, et mon visage, malgré ses bleus à peine visibles, a repris son allure normale. De toute ma vie, je n'avais jamais réagi aussi violemment à la présence de quelqu'un. Depuis que Cal était arrivé à Widow's Vale, ma vie avait changé radicalement.

J'ai fini par me sentir assez forte pour aller retrouver les autres. J'ai ouvert la porte et repris le corridor menant à la cuisine.

Tout à coup, j'ai senti des fourmis sous ma peau. Aussitôt après, j'ai entendu des voix dans le corridor, des voix basses, des murmures. Des voix caractéristiques : celles de Sky et de Hunter. Ils venaient vers moi.

Je me suis adossée au mur ; j'aurais voulu disparaître dans le grain du bois. J'ai alors entendu un clic et failli perdre pied. J'ai réussi à me retenir de tomber, mais ma surprise était grande lorsque j'ai compris que j'avais pris appui contre une porte secrète.

Sans réfléchir, les voix s'approchant de plus en plus, je suis entrée dans la pièce secrète et j'ai refermé la porte, la laissant entrebâillée. Je suis restée là, derrière la porte, le cœur martelant ma poitrine. J'entendais leurs voix tandis qu'ils longeaient le corridor. J'ai eu beau me concentrer, je n'ai pas réussi à capter le moindre mot. Pour quelle raison Sky et Hunter m'affectaient-ils à ce point ? Pourquoi les redoutais-je autant ?

Leurs voix se sont estompées ; ne restait que le silence.

J'ai jeté un œil autour de moi. Même si je n'avais pas remarqué la porte dans le corridor, à l'intérieur, elle était parfaitement visible, et une petite incrustation m'assurait que je pourrais en ressortir au moment voulu.

J'ai vite compris qu'il s'agissait d'un bureau, le bureau de Selene. Une grande table comme on en voit dans les bibliothèques avait été placée devant une fenêtre; elle était couverte d'une tapisserie et servait de présentoir à divers objets : mortiers, pilons, chaudrons. Il y avait un canapé en cuir robuste, une table antique avec un ordinateur et une imprimante, et des étagères hautes, en chêne, remplies de milliers de volumes.

Sur le bureau, la lampe était allumée, projetant une lumière intime, et je me suis approchée pour mieux voir les livres. J'avais oublié que mes amis m'attendaient, que Cal était sans doute déjà de retour dans la cuisine, et que nous étions censés partir bientôt pour le cinéma. Tout cela m'était sorti de la tête aussitôt que j'avais commencé à lire les titres des bouquins.

20

La
connaissance

9 septembre 1984

L'enfant n'arrête pas de bouger dans mon ventre. C'est la chose la plus magyque qui soit. Je sens ma fille qui s'agite et grandit, et cela ne ressemble à rien d'autre. Je sens qu'elle sera très puissante.

Angus n'arrête pas d'insister pour qu'on se marie afin que l'enfant porte son nom, mais quelque chose m'empêche de dire oui. J'aime Angus, mais je me sens séparée de lui. Les gens ici pensent que nous sommes déjà mariés, et cela me convient.

— M. R.

Angus vient d'entrer. Il a trouvé un sigil sur un poteau de la clôture, près de notre entrée. Déesse, quel démon nous a suivis jusqu'ici ?

Selene Belltower possédait la plus incroyable collection de livres, et j'aurais été heureuse de rester enfermée dans cette pièce jusqu'à la fin de mes jours, pour lire, tout lire, de A à Z. Les derniers rayons étaient si hauts qu'il y avait deux échelles sur roues, des échelles de librairie, qui faisaient le tour de la pièce sur des rails d'acier.

Sous la lumière tamisée de la lampe du bureau, j'ai jeté un œil aux dos des livres. Quelques-uns n'avaient même pas de titre, d'autres étaient usés jusqu'à la corde ; certains étaient gravés d'argent et d'or, alors que d'autres titres avaient simplement été écrits sur le dos avec un marqueur. Une ou deux fois, j'ai vu un livre dont le titre apparaissait seulement lorsque je m'en approchais : il luisait doucement, tel un hologramme, puis disparaissait au second regard.

Je savais que je ferais mieux de sortir de là. De toute évidence, c'était la pièce privée de Selene ; je n'aurais pas dû être là sans sa permission. Mais ne pouvais-je pas jeter un œil sur un ou deux livres avant de partir?

En avais-je le temps? J'ai regardé ma montre; il était 19 h 20. Il restait presque une demi-heure avant l'heure de notre départ pour le cinéma; il n'y avait pas de danger qu'on me cherche au cours des cinq prochaines minutes. Je pourrais toujours prétendre que j'étais à la salle de bain.

La pièce était lourde de magye. La magye était partout; je l'ai inspirée puis expirée, et elle a vibré sous mes pieds à chacun de mes pas.

Tremblante, je lisais les titres des livres. Il y avait un rayon complet de livres semblables à des livres de recettes : recettes de sortilèges, d'aliments qui augmentent les pouvoirs magyques, de mélanges appropriés pour diverses fêtes. L'étagère suivante contenait des livres sur la fabrication de sortilèges et de rituels. Certains livres paraissaient anciens, protégés par des couvertures minces qui se désintégraient au point que je n'osais pas y toucher. Pourtant, j'avais très envie de lire leurs pages jaunies.

En voyant la richesse de magye que recelait cette pièce, j'ai pensé aux Rowanwand, célèbres pour leur coutume d'accumuler secrets et connaissances. Selene Belltower aurait-elle pu être une Rowanwand? Cal avait dit que lui et sa mère ne savaient pas à quel clan ils appartenaient, mais peut-être cette bibliothèque constituait-elle un indice. Je cherchais un moyen de mettre la main sur ces livres. Selene accepterait-elle de me les prêter? Cal pourrait-il les lui emprunter?

Sur l'étagère suivante, les livres étaient étiquetés *Arts noirs*, *Usages de la magye noire*, *Maléfices...* il y en avait même un intitulé *Convoquer les esprits*. Il semblait dangereux ne serait-ce que de garder ces livres chez soi, et je me demandais pourquoi Selene en possédait autant. J'ai frissonné. Soudain, j'étais moins convaincue d'avoir le droit d'être dans ce bureau. J'ai aperçu un petit meuble étroit avec des étagères de verre éclairées par en dessous. Dans de petites coupes de marbre, j'ai aperçu des poignées de cristaux et de pierres de toutes sortes et de toutes les couleurs. J'ai vu des héliotropes, des oeils-de-tigre, des lapis-lazuli, des turquoises. Il y avait aussi des pierres précieuses, polies et taillées.

Je m'étonnais qu'une seule personne puisse disposer d'autant de matériel : l'idée que Selene puisse entrer dans cette pièce et y trouver tout ce dont elle avait besoin pour presque n'importe quel genre de sortilège, c'était incroyable !

J'avais une soif incommensurable d'acquérir toutes ces connaissances ; c'était la tâche à laquelle je devais me consacrer. Les rêves que mes parents entretenaient pour mon avenir, mon vieux projet — mis en sourdine — de devenir une scientifique, tout cela n'était plus qu'écrans de fumée qui ne feraient que nuire à ma véritable destinée : devenir la sorcière puissante que je pouvais être.

Je savais qu'il fallait que je sorte de là, mais je ne pouvais m'y résoudre. *Encore cinq petites minutes*, me disais-je en avançant vers l'autre rangée d'étagères. Je comprenais que tous les cercles étaient réunis ici. Il y avait des rangées et des rangées de Livres des ombres. J'en ai pris un et lorsque je l'ai ouvert, j'ai eu l'impression qu'un éclair pouvait s'abattre sur moi à tout instant.

Le livre était lourd. Je l'ai déposé sur le rebord du bureau de Selene. À l'intérieur, les pages étaient jaunies et écornées, elles s'effritaient presque sous mes doigts. C'était un livre ancien — une des entrées datait de 1502 ! Mais il était écrit en code ou dans une autre langue et j'étais absolument incapable de le déchiffrer. Je l'ai remis à sa place.

Il fallait vraiment que je sorte de là pour aller rejoindre les autres, je ne le savais que trop. Je pensais déjà à l'excuse que j'allais inventer pour expliquer ma disparition. Serait-il réaliste de dire que je m'étais perdue ?

En longeant les murs pour me rendre à la porte, j'ai heurté une échelle. Sans savoir pourquoi, j'ai entrepris d'y grimper. Tout en haut, la senteur de poussière, de vieux cuir et de papier moisi était plus poignante. Me tenant aux montants, je me suis penchée pour lire dans la pénombre : *Cercles de sorcières dans la Rome antique, Théories de Stonehenge, Les Rowanwand et les Woodbane : de la préhistoire à nos jours.*

Je savais que je n'avais pas le temps de tout lire, de lambiner, de savourer et de dévorer chaque livre comme j'en avais envie. L'idée que ces livres étaient ici, à portée de main, mais qu'ils ne m'appartenaient pas, était comme une torture. Une soif insatiable s'était éveillée en moi, une envie folle de savoir, d'apprendre, d'être illuminée.

Du bout des doigts, je caressais les dos des livres, en m'arrêtant sur ceux qui étaient plus difficiles à déchiffrer. Sur une des étagères du haut, j'ai découvert un livre rouge sang, sans inscription, coincé entre deux livres plus hauts et plus épais sur l'histoire de l'Écosse. En passant les doigts sur le dos du livre rouge, j'ai senti des picotements. J'ai recommencé. Fourmillements. Encore. Picotements. Je l'ai sorti. C'était trop sombre, là-haut, pour en lire le titre, alors je suis redescendue de l'échelle et j'ai posé le livre sur le bureau de Selene.

Sous la lampe de lecture, je l'ai ouvert à la page titre avec mille précautions. C'était écrit *Belwicket* en beaux caractères script. J'ai fait une pause, mon sang battant dans mes oreilles. Belwicket. C'était le cercle de ma mère biologique.

J'ai tourné la page et j'ai vu cette inscription au verso :

Je confie ce livre à mon incandescente Bradhadair, ma fée du feu, pour son quatorzième anniversaire. Bienvenue dans le cercle Belwicket. Avec tout mon amour. Mathair.

Mon cœur a cessé de battre, et mon souffle s'est glacé dans mes poumons. Bradhadair. Le nom wiccan de ma mère. Alyce me l'avait dit. C'était son Livre des ombres. Mais comment était-ce possible ? On ne l'avait pas retrouvé après l'incendie, non ? Pouvait-il exister une autre Bradhadair, un autre Belwicket ?

Les mains tremblantes, je me suis mise à parcourir les entrées, soit environ 20 pages : *Toute la ville de Ballynigel célèbre Beltane*, ai-je lu en silence. *J'étais trop vieille pour danser autour du mât, mais les plus jeunes des filles l'ont fait et elles étaient adorables. J'ai aperçu cet Angus Bramson caché près des bicyclettes, me fixant comme il le fait toujours. J'ai*

*fait semblant de ne pas le voir. J'ai seulement
quatorze ans et il en a seize !*

*En tout cas, la fête de Beltane a été char-
mante, puis Ma a présidé un cercle sensationnel,
en retrait, tout près des falaises.*

— Bradhadair.

J'essayais de déglutir, mais j'avais
l'impression d'étouffer. J'ai tourné plusieurs
pages, jusqu'à la fin. On n'y retrouvait pas
la signature de Bradhadair ; les dernières
entrées étaient signées « M. R. ».

C'étaient mes initiales. C'étaient également les initiales de Maeve Riordan. Ma
mère.

Étonnée, étourdie, je me suis laissée
tomber sur le fauteuil de Selene, qui a
grincé sous mon poids. Mon champ visuel
s'était rétréci ; j'avais la sensation que ma
tête était trop lourde pour mon cou. Me
rappelant la formation reçue lorsque j'étais
dans les guides, je me suis penchée, la tête
entre les genoux, en prenant de profondes
respirations dans l'espoir de me calmer.

Pendant que j'étais dans cette position
disgracieuse, espérant ne pas m'évanouir,
mille pensées se bousculaient dans ma tête

à une telle vitesse que je n'y comprenais plus rien. Maeve Riordan. C'était le Livre des ombres de Maeve Riordan. Ce livre posé devant moi, celui qui m'avait parlé bien avant que je n'y touche, avait appartenu à ma mère biologique. Ma vraie mère, morte carbonisée 16 ans plus tôt, dans une ville située à deux heures d'ici.

Selene Belltower détenait son Livre des ombres. Pourquoi ?

Je me suis redressée. À la hâte, j'ai feuilleté des passages au hasard, lisant des extraits où ma mère passait de la fillette de 14 ans, nouvellement initiée, à l'adolescente amoureuse, puis à la femme qui a connu l'enfer avant d'avoir 22 ans, lorsqu'elle s'est retrouvée enceinte d'une enfant dont elle n'avait pas planifié la naissance. Moi.

Pleurant à chaudes larmes, je suis revenue au début du livre, où les entrées étaient légères, enfantines, remplies des merveilles et de la joie de la magye.

Bien sûr, ce livre était à moi. Bien sûr, j'emporterais ce livre chez moi dès ce soir. Cela ne faisait pas le moindre doute. Mais comment avait-il pu se retrouver dans la bibliothèque de Selene Belltower ? Et pourquoi, sachant ce qu'elle savait de moi, ne m'en avait-elle pas parlé ou ne me l'avait-elle pas offert ? Aurait-elle pu oublier qu'elle avait ce livre en sa possession ?

J'ai essuyé mes larmes et continué de tourner les pages, cherchant l'endroit où les sortilèges de ma mère devenaient plus ambitieux et efficaces, son amour plus profond et plus compatissant.

C'était mon histoire, mes antécédents, mes origines. Tout était là, dans ces pages manuscrites. J'allais découvrir dans ce Livre des ombres tout ce que je devais savoir sur mes antécédents et mes origines. Je saurais enfin qui je suis.

J'ai consulté ma montre. Il était 19 h 45. Oh ! mon Dieu, j'étais là depuis plus de 20 minutes déjà. Il fallait que je me sauve. Les autres devaient me chercher partout.

Aussi difficile que cela pouvait être, j'avais entrepris de refermer le livre. Comment allais-je m'y prendre pour le sortir d'ici ?

Soudain, la porte de la chambre secrète s'est ouverte. La lumière du corridor s'est engouffrée dans la pièce, et j'ai levé les yeux. Cal et Selene se tenaient debout dans l'embrasure, et ils me regardaient fixement, assise au bureau de Selene, devant un livre ouvert.

Je savais pertinemment que j'étais entrée sans autorisation et que c'était une faute impardonnable.

De la série

sorcière

Livre 1
Le livre des ombres

Livre 3
La lignée

éditions

POUR OBTENIR UNE COPIE DE NOTRE CATALOGUE :

Éditions AdA Inc.

1385, boul. Lionel-Boulet,
Varennes, Québec, J3X 1P7
Téléphone : (450) 929-0296
Télécopieur : (450) 929-0220
info@ada-inc.com
www.ada-inc.com

Pour l'Europe :
France : D.G. Diffusion Tél.: 05.61.00.09.99
Belgique : D.G. Diffusion Tél.: 05.61.00.09.99
Suisse : Transat Tél.: 23.42.77.40

VENEZ NOUS VISITER

facebook
WWW.FACEBOOK.COM (GROUPE ÉDITIONS ADA)

twitter
WWW.TWITTER.COM/EDITIONSADA

www.ada-inc.com
info@ada-inc.com